Cymru Hanesyddol o'r Awy
Historic Wales from the Air

Ffigur 1 (y tudalen blaenorol). Mae'r olion cnydau mewn caeau ger Walton yn Sir Faesyfed adeg sychder mawr yr haf yn datgelu tirwedd gyfoethog o hynafol. Gwersylloedd gorymdeithio Rhufeinig yw'r ddau betryal mawr â chorneli crwn ac fe'u codwyd adeg yr ymgyrchoedd cynnar yn y ganrif 1af OC. Henebion angladdol o'r cyfnod Neolithig neu'r Oes Efydd gynnar yw'r ddau loc crwn ar y chwith. Fe'u codwyd rhyw 4,000–5,000 o flynyddoedd yn ôl ond gwastatawyd y tir drostynt yn ddiweddarach. Gan fod y lloc mwyaf o'r ddau yn anarferol o fawr, efallai y bu arwyddocâd arbennig iddo gynt. Mae'r safleoedd hyn yn rhan o dirwedd archaeolegol ehangach Basn Walton, ac mae degawdau o dynnu lluniau o'r awyr ohonynt wedi esgor ar ddarlun mwy cyflawn o'r dirwedd hon.

Figure 1 (previous page). A rich, ancient landscape revealed by cropmarks in drought-ridden summer fields near Walton in Radnorshire. The two large rectangles with rounded corners are Roman marching camps, built on early campaigns in the first century AD. The two circular enclosures at left are plough-levelled Neolithic or early Bronze Age funerary monuments built some 4,000–5,000 years ago. The larger enclosure is of an exceptional size and may have held a special significance. These sites form one part of the wider archaeological landscape of the Walton Basin, whose plough-levelled monuments have been pieced together through decades of aerial photography.

Ffigur 2 (de).   Yng ngolau isel y gaeaf mae eira hwnt ac yma yn amlygu gwrthgloddiau trawiadol anheddiad canoloesol ac anghyfannedd Beili Bedw ger Saint Harmon yn y canolbarth.

Figure 2 (right). Patches of snow and low winter light pick out the striking earthworks of Beili-Bedw deserted medieval settlement, near St Harmon in central Wales.

Ffigur 3 (y tudalen gyferbyn). Cofnod ar hap wrth gloddio. Ar un adeg, bu bryngaer fawr Braich-y-Dinas ym Mhenmaen-mawr ar arfordir y gogledd yn cystadlu â bryngaer Tre'r Ceiri i'r gorllewin ohoni. Yn y naw deg a rhagor o gytiau, cafwyd hyd i eitemau Rhufeinig, ac o amgylch y cytiau safai sawl llinell o ragfuriau cerrig a oedd bron yn 3 metr o uchder. Mae'r fryngaer wedi diflannu erbyn hyn a'r cerrig ynddi wedi'u hailddefnyddio. Oherwydd i Sgwadron Hyfforddiant Awyr Rhif 5 y Llu Awyr dynnu'r llun hwn o sedd agored awyren gyntefig ym mis Ebrill 1924 adeg y cloddio ar y fryngaer, mae gennym ni gofnod prin o un o fryngaerau gwychaf Cymru.

Figure 3 (opposite page). A chance record, preserved in time. The great hillfort of Braich-y-Dinas at Penmaenmawr on the north Wales coast once rivalled Tre'r-ceiri hillfort to the west. Several lines of stone-built ramparts, standing nearly 3 metres high, enclosed more than ninety huts containing Roman finds. The hillfort has now gone, long since quarried away. In this view taken from the exposed cockpit of a biplane by No. 5 Air Training Squadron of the RAF in April 1924, with excavations on the hillfort in progress, we have a rare record of one of Wales' finest hillforts.

Cymru Hanesyddol o'r Awyr
Historic Wales from the Air

Toby Driver & Oliver Davis

Gyda chyfraniadau gan - With contributions by
Derek Elliot, Susan Fielding, Lisa Osborne, Medwyn Parry and Peter Wakelin

LLUNIAU O GOFNOD HENEBION CENEDLAETHOL CYMRU
IMAGES FROM THE NATIONAL MONUMENTS RECORD OF WALES

ISBN 978-1-871184-44-0

Manylion Catalogio (CIP) y Llyfrgell Brydeinig. Mae cofnod catalogio'r llyfr hwn ar gael gan y Llyfrgell Brydeinig.
British Library Cataloguing in Publication Data. A catalogue record for this book is available from the British Library.

Comisiwn Brenhinol Henebion Cymru
Royal Commission on the Ancient and Historical Monuments of Wales

Plas Crug, Aberystwyth, Ceredigion, SY23 1NJ

Ffôn: 01970 621200   e-bost: chc.cymru@cbhc.gov.uk   Gwefan: cbhc.gov.uk
Telephone: 01970 621200   e-mail: nmr.wales@rcahmw.gov.uk   Website: www.rcahmw.gov.uk

Argraffwyd yng Nghymru gan: Printed in Wales by: HSW Print, Tonypandy, Rhondda, CF40 2XX.

Noddir gan
Lywodraeth Cymru
Sponsored by
Welsh Government

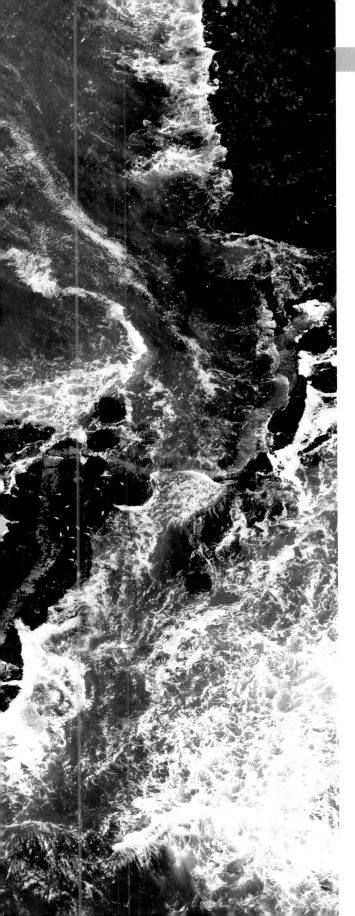

Cynnwys ⬛ Contents

Ffigur 4. Cynlluniwyd Goleudy Trwyn Du gan James Walker ac fe'i codwyd rhwng 1835 a 1838 ar y culfor peryglus rhwng Ynys Seiriol a Thrwyn Du, Môn. Ar ei waelod mae'r goleudy'n codi fesul gris i ymdopi â rhyferthwy'r tonnau. Mae iddo waliau fertigol anghonfensiynol a pharapet crenelog o gerrig ar ei oriel.

Figure 4. Designed by James Walker, the Trwyn-Du lighthouse was built between 1835 and 1838 on the hazardous narrow strait between Puffin Island and Penmon Point, Isle of Anglesey. The lighthouse has a stepped base to cope with the huge upsurges, and features unconventional vertical walls and a crenelated stone parapet on the gallery.

Ffigur 5. Er i Weithfeydd Haearn Dowlais, a sefydlwyd ym 1759, dyfu yn y bedwaredd ganrif ar bymtheg i fod yr un mwyaf yn y byd, gwelodd y 1920au ddirywiad y diwydiant a dirwasgiad economaidd a barodd i'r cynhyrchu yno ddod i ben gwta flwyddyn ar ôl tynnu'r llun hwn ym 1929. Symudwyd y cynhyrchu i Waith East Moors yng Nghaerdydd a chwalwyd bron y cyfan o safle Dowlais heblaw am y Peiriandy Chwyth a gawsai ei godi ym 1909. Drwy'r mwg ar frig de y llun gellir gweld ychydig o Waith Haearn Ivor a godwyd ym 1839 i wasanaethu Dowlais.

Figure 5. Founded in 1759, Dowlais Ironworks became the largest in the world during the nineteenth century. By the 1920s however, industrial decline and economic depression had set in and production ceased just one year after this photograph was taken in 1929. Production moved to East Moors works in cardiff and the Dowlais site was largely demolished save for the Blast Engine House, built in 1909. Just visible through the smoke, in the top right hand of the photograph, is Ivor Ironworks, built as a servicing site for Dowlais in 1839.

Gan mai breuddwyd llawer un yw cael hedfan dros fannau cyfarwydd, cewch chi gyfle yn y llyfr hwn nid yn unig i deithio ar draws Cymru a gweld patrymau'r dirwedd a'r gymuned o'r awyr ond i deithio drwy amser hefyd.

Dyma un o gyfres o lyfrau a wnaiff arddangos y cyfoeth o ddeunydd gweledol sydd yn archif Comisiwn Brenhinol Henebion Cymru, y corff a sefydlwyd ym 1908 ac sydd bellach yn un a noddir gan Lywodraeth Cymru. Ochr yn ochr â'r Llyfrgell Genedlaethol ac Amgueddfa Cymru, mae archif y Comisiwn – y Cofnod Henebion Cenedlaethol – yn un o'n prif gasgliadau cenedlaethol. Drwyddo, mae modd cael gafael ar fwy na dwy filiwn o luniau yn ogystal â miloedd ar filoedd o fapiau, cynlluniau, lluniadau ac adroddiadau.

Mae awyrluniau'r Comisiwn ymysg y lluniau mwyaf poblogaidd sydd ganddo. Fe'u gwelwch hwy droeon mewn llyfrau, tywyslyfrau, taflenni a gwefannau am hanes a threftadaeth Cymru. Drwy wefannau'r Comisiwn neu Gasgliad y Werin Cymru cânt eu gweld ar-lein gannoedd o filoedd o weithiau'r flwyddyn. Serch hynny, bydd y llyfr godidog hwn yn eich synnu chi. Profiad rhyfeddol yw cael eich atgoffa o'r olwg a oedd ar y lle pan ddaliai'r tomenni gwastraff uwchlaw'r Pwll Mawr i dra-arglwyddiaethu ar dirwedd Blaenafon, cael gweld y patrymau y bydd pobl yn eu gwneud ar ddiwrnod heulog ym Mharc Ynys Angharad ym Mhontypridd, neu weld sychder yn datgelu, am ennyd fer, olion eglwys hynafol mewn cae yn nyffryn Conwy. Mae llawer o'r golygfeydd - fel Bannau Brycheiniog o dan haen o eira a chyfundrefnau cymhleth caeau'r hen Wynedd - yn syfrdanol. Gan fod fy etholaeth i wrth galon y de diwydiannol, peth sydd o ddiddordeb arbennig i mi yw gweld y newidiadau yn nhirweddau'n treftadaeth ddiwydiannol ni, fel Dowlais yn y 1920au ar goll mewn mwg a simneiau, traphont Cefn Coed y Cymer, a chymuned y Rhondda Fawr dan drwch o eira.

Tystio wna cyfoeth y lluniau hyn i fedrusrwydd a champ awyrlunwyr y Comisiwn drwy gydol y chwarter canrif ddiwethaf ac i weledigaeth yr arloeswyr cynharach y ceir ffrwyth eu gwaith yn yr archif. Bydd y Comisiwn yn defnyddio awyrluniau i chwilio am archaeoleg gudd, i fonitro cyflwr henebion cofrestredig ac i gofnodi'r newidiadau yn ein tirwedd. Ond ar ôl i'r lluniau gyrraedd yr archif, mae modd eu defnyddio mewn llawer ffordd – mewn cyhoeddiadau ymchwil ac addysg, wrth reoli'r dreftadaeth a chyfryngu mewn anghydfodau ynghylch tir, yn hanes cymunedau ac er pleser pur. Drwy'r llyfr hwn caiff rhagor o bobl wybod am yr adnodd enfawr sydd ar gael iddynt ei ddefnyddio. Cewch chi hefyd weld pob un o'i luniau'n rhad ac am ddim ar Coflein, cronfa ddata ar-lein y Comisiwn.

Fel Gweinidog Tai, Adfywio a Threftadaeth Llywodraeth Cymru, rwy'n falch o fod yn warcheidwad yr archif cenedlaethol mawr hwn ac o gymeradwyo'r llyfr hardd hwn.

Huw Lewis AC
Gweinidog Tai, Adfywio a Threftadaeth Llywodraeth Cymru

Many people dream of being able to fly over familiar places. This book offers a chance to travel across Wales seeing patterns of landscape and community from above, and to travel through time as well.

This is one of a series of books to showcase the wealth of visual material in the archive of the Royal Commission on the Ancient and Historical Monuments of Wales, founded in 1908 and now a Welsh Government Sponsored Body. Alongside the National Library and Amgueddfa Cymru – National Museum Wales, the National Monuments Record is one of our major national collections. It makes available over two million photographs, as well as hundreds of thousands of maps, plans, drawings and reports.

The Commission's aerial photographs are among the most popular images it holds. Appearing again and again in books about Welsh history and heritage, guidebooks, leaflets and websites, they are viewed online hundreds of thousands of times a year through its own websites or the People's Collection Wales. Even so, this sumptuous book is full of surprises. It is amazing to be reminded how Blaenavon looked when the conical tips above Big Pit still dominated the landscape, to see the patterns people make on a sunny day in Pontypridd's Ynysangharad Park or to find an ancient church in the Conwy valley revealed by transitory parchmarks in an empty field. Many of the views are simply breathtaking, like the Brecon Beacons under a blanket of snow and the intricate field systems of ancient Gwynedd. My constituency lies in the heart of industrial south Wales so I am particularly fascinated by the changing landscapes of our industrial heritage, such as 1920s Dowlais lost in smoke and chimneys, the Cefn-Coed-y-Cymmer viaduct and the snow-clad community of the Rhondda Fawr.

The richness of these images is a testament to the skill and artistry of the Commission's aerial photographers through the last quarter century as well as the vision of earlier pioneers whose work is in the archive. The Commission takes aerial photographs to search for hidden archaeology, monitor the condition of scheduled monuments and record our changing landscape. But once secured in the archive they have multiple applications – for publications, research and education, heritage management and mediating land disputes, community history and sheer enjoyment. This book will ensure more people know about the vast resource available for them to use. All its images can also be viewed for free in the Commission's online database, Coflein.

As the Welsh Government's Minister for Housing, Regeneration and Heritage, I am proud to be a custodian of this great national archive and to commend this beautiful book.

Huw Lewis AM
Minister for Housing, Regeneration and Heritage, Welsh Government

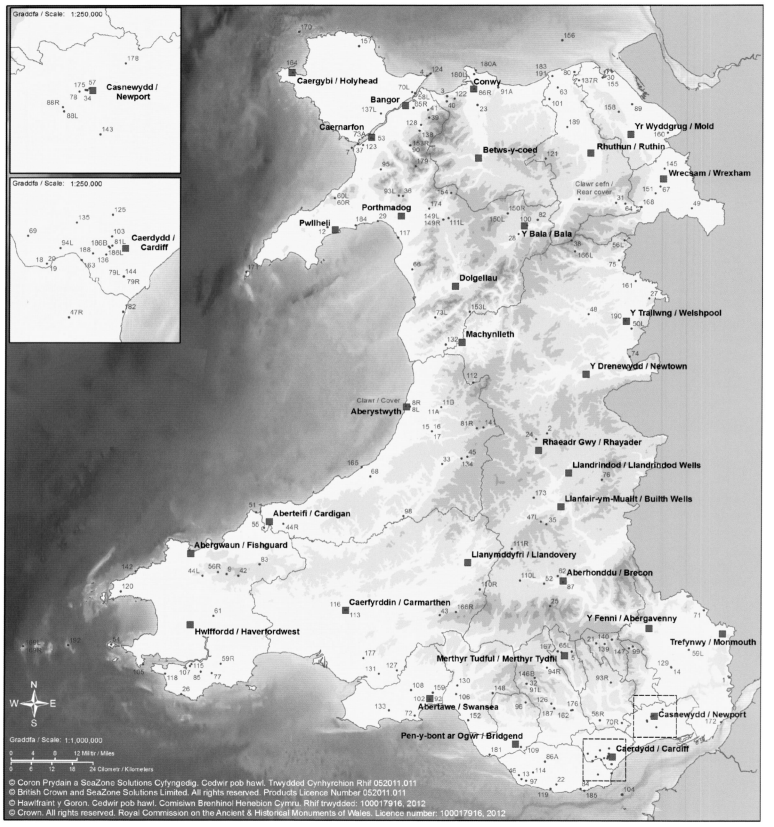

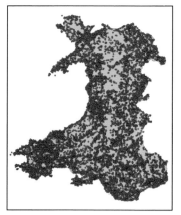

Ffigur 6. Map o Gymru (chwith) sy'n dangos lleoliad y lluniau yn y gyfrol hon. Cyfran fach iawn iawn o'r casgliad cyflawn yw'r ffotograffau a gyhoeddir yma. Mae pob dot glas ar y map bach (uchod) yn cynrychioli awyrlun arosgo a dynnwyd yn ystod chwarter canrif o archwilio o'r awyr. Bellach, mae rhyw 70,000 o awyrluniau wedi'u catalogio a chaiff unrhyw un sy'n dymuno ymchwilio i dreftadaeth Cymru ymgynghori â hwy.

Figure 6. Map of Wales (left) showing the location of the photographs in this volume. These published images represent only a tiny fraction of the entire collection. Every blue dot on the inset map (above) represents an oblique aerial photograph taken over the course of twenty-five years of aerial reconnaissance. Some 70,000 have now been catalogued and can be consulted by anyone wanting to explore the heritage of Wales.

Cymru Hanesyddol o'r Awyr   Historic Wales from the Air

Ffigur 7. Estyn y chwilio allan i'r môr. Tynnwyd y llun o'r llongddrylliad dienw hwn, sy'n rhyw 18 metr o hyd a bron i gilometr oddi ar y tir mawr, drwy fôr bas yr haf ar fanc tywod South Sands wrth ben gorllewinol Afon Menai ger Dinas Dinlle yn y gogledd.

Figure 7. Extending the search offshore. An anonymous wreck, some 18 metres long, photographed nearly a kilometre from the mainland through shallow summer sea at South Sands sand bank, off the western mouth of the Menai Straits near Dinas Dinlle, north Wales.

Hyd yn oed cyn i falwnau ac awyrennau alluogi pobl i weld y dirwedd o'r awyr, gwyddai pobl fod dychmygu'r golygfeydd oddi fry'n well ffordd iddynt ddeall eu hamgylchedd. Tynnodd arlunwyr banoramâu o ddinasoedd 'o'r awyr' ac i gael darlun cliriach ohonynt rhoes cartograffwyr a phenseiri drefi, ystadau mawr neu adeiladau ar fapiau a chynlluniau. Bydd gweld hyd yn oed leoedd cyfarwydd o'r awyr yn trawsffurfio'ch darlun ohonynt: yn sydyn, fe gewch chi weld perthnasoedd, llwybrau, arwynebau cudd ac olion coll nad ydych chi wedi sylwi arnynt erioed o'r blaen.

Wrth ymchwilio i'r gorffennol y mae awyrluniau ar eu grymusaf. Mae'n hamgylchedd ni'n llawn o gliwiau i hanes ar lawr daear sy'n anweledig neu heb ei werthfawrogi o'n safbwynt ni: bydd olion cnydau'n amlygu safleoedd claddu hanesyddol, daw llwybrau syth ffyrdd Rhufeinig i'r golwg er bod caeau'n torri ar eu traws, a bydd ysbrydion hen strydoedd a bwrdeistrefi canoloesol yn ailymddangos mewn tirweddau prysur. Ffrwyth hanner canrif o deithiau hedfan yw awyrluniau, ddoe a heddiw, sy'n amlygu patrymau hanes drwy ddogfennu campweithiau peirianyddol, adeiladweithiau diflanedig yr Ail Ryfel Byd a gweithgarwch pobl gyffredin wrth iddynt fyw eu bywydau beunyddiol.

Yn y llyfr hwn cewch chi ddetholiad o awyrluniau sy'n adrodd hanes Cymru, ac o'r Cofnod Henebion Cenedlaethol y daw pob un ohonynt. Mae'r mwyafrif ohonynt yn ffrwyth rhaglen hedfan ddiweddar gan Gomisiwn Brenhinol Henebion Cymru, corff sy'n cyson dynnu awyrluniau i helpu prosiectau ymchwil archaeolegol, i fonitro cyflwr yr henebion sydd o bwys cenedlaethol ac i chwilio am dystiolaeth o safleoedd hanesyddol na chafwyd hyd iddynt hyd yn hyn. Mae'r llyfr yn mawrygu chwarter canrif cyntaf rhaglen hedfan y Comisiwn – un a gychwynnwyd ym 1986 ac sydd fel rheol yn arwain at adnabod rhyw ddau gant o safleoedd archaeolegol newydd bob blwyddyn.

Erbyn hyn, mae rhyw dri-chwarter miliwn o awyrluniau yn y casgliad ac maent ar gael i ymgynghori â hwy fel rhan o Gofnod Henebion Cenedlaethol Cymru, archif cyhoeddus y Comisiwn Brenhinol a sefydliad sydd wedi'i gydnabod gan yr Archifau Gwladol yn Fan Adneuo Cofnodion Cyhoeddus. Ceir sefydliadau cenedlaethol tebyg iddo yn Lloegr a'r Alban. Cedwir un rhan o dair o filiwn o negatifau neu brintiau swyddogol gan y Gofrestr Ganolog o Awyrluniau yng Nghaerdydd dan ofal Llywodraeth Cymru.

Even before balloons and aircraft enabled people to see the landscape from above, humans knew that imagining such views gave them better ways to understand their environment. Artists drew panoramas of cities as if seen by a bird and cartographers and architects flattened out towns, great estates or buildings in maps and plans to envision them more clearly. Seeing even well-known places from above transforms your perceptions: suddenly, freshly and sometimes breathtakingly, you understand relationships, routeways, hidden surfaces and concealed remnants that you have never appreciated before.

The power of aerial views is greatest of all when exploring the past. Our environment is full of clues to histories that are unseen or unappreciated from everyday viewpoints on the ground: cropmarks show up prehistoric burial sites, the straight lines of Roman roads can be made out despite the fields that interrupt them, the ghosts of medieval streets and boroughs reappear in cluttered townscapes. Now, after a century of manned flight, historic and recent aerial photographs reveal the patterns of history – documenting great feats of engineering, the vanished structures of the Second World War and the activity of ordinary people going about their daily lives.

This book provides a selection of aerial images that tell the story of Wales, all of them taken from the National Monuments Record. The majority have been created through the recent flying programme of the Royal Commission on the Ancient and Historical Monuments of Wales, which regularly observes from above to support archaeological research projects, monitor the condition of nationally-important monuments and search for evidence of previously unidentified historic sites. The book celebrates the first quarter of a century of the Commission's flying programme, which began in 1986 and typically results in the identification of some 200 new archaeological sites a year.

Currently about three quarters of a million aerial photographs are held and made available for consultation as part of the National Monuments Record of Wales, the public archive of the Royal Commission, which is a place of deposit for public records recognised by The National Archives and parallels similar national records for England and Scotland. About a third of a million official negatives or prints are held by the Central Register of Air Photography in Cardiff, maintained by the Welsh Government.

Ffigur 8. Dogfennu'r newidiadau yng Nghymru drwy Gasgliad Aerofilms: mae'r llun hanesyddol hwn yn dangos Llyfrgell Genedlaethol Cymru ar fryn gwyrddlas ym 1947. Dechreuwyd ei chodi ym 1911 ac fe'i hagorwyd yn llawn ym 1955. Cynlluniwyd y prif adeilad gan Sidney Kiffin Greenslade mewn arddull Glasurol Roegaidd syml, ac ers hynny fe ychwanegwyd blociau pellach ati i gymryd y casgliadau cynyddol. Mae cynllun sgwâr y canol yn dal i fod yn gwbl amlwg ac yn cynnwys tri llawr o amgylch pedwar cwrt petryal. Y tu ôl i'r cyfan mae adeiladau cyntaf campws Penglais, ac erbyn tynnu'r llun yn 2008 yr oedd campws Prifysgol Aberystwyth wedi llenwi llawer ar y bryn o'i amgylch.

Figure 8. Documenting changing Wales through the Aerofilms Collection: sited on a green hill, this historic view shows the National Library of Wales in 1947. It was begun in 1911 and fully opened in 1955. The main building designed by Sidney Kiffin Greenslade in a stripped-down Greek Classical style has since been joined by further blocks to house the constantly-growing collections. The square plan of the central complex is still clearly visible, composed of three-storey ranges around four rectangular courtyards. Behind are the first buildings of the Aberystwyth University Penglais campus, which by the time the recent view was taken in 2008 had filled up much of the surrounding hillside.

O Gasgliad Aerofilms y daw'r lluniau hynaf yn y llyfr. Prynwyd y casgliad ar y cyd gan Gomisiwn Brenhinol Cymru, Comisiwn Brenhinol Henebion yr Alban ac English Heritage yn 2007 gyda chymorth Cronfa Dreftadaeth y Loteri. Mae'r lluniau ynddo'n ffenestr i'r gorffennol, o ddyddiau cynnar yr awyrenwyr mentrus ym 1919 hyd at 2006. O'r Llu Awyr y daw lluniau cynnar eraill ac fe ddyddiant o sefydlu sgwadronau i dynnu awyrluniau yn gynnar yn y 1930au a thrwy gydol yr Ail Ryfel Byd. Tynnwyd rhagor o luniau ar y cyd â'r Arolwg Ordnans i helpu i greu a diweddaru mapiau o 1958 ymlaen. Mae nifer fawr o luniau a dynnwyd ar gyfer cyrff cyhoeddus yn dal i gael eu rhoi ar adnau o dan gyfarwyddyd yr Archifau Gwladol. Ymhlith y rhai diweddaraf mae cynrychioliadau digidol a wnaed drwy sganio'r tir o'r awyr â laser (LiDAR). Fe'u tynnwyd gan Asiantaeth yr Amgylchedd i fonitro'r risg o lifogydd, ond mae'r Comisiwn Brenhinol wedi'u hailbrosesu ac wedi'u hastudio i amlygu nodweddion archaeolegol na fyddent prin i'w gweld o gwbl ar lawr gwlad.

The oldest of the photographs in this book come from the Aerofilms Collection, which was acquired jointly by the Welsh Royal Commission, the Royal Commission on the Ancient and Historical Monuments of Scotland and English Heritage in 2007, with the support of the Heritage Lottery Fund. The images in the Aerofilms Collection act as windows into the past, from the early days of the adventurer-aviators in 1919 right up to 2006. Other early photographs come from the Royal Air Force, dating from the inception of the Photo Reconnaissance squadrons in the early 1930s and throughout the Second World War. More were taken in conjunction with the Ordnance Survey to help in the creation and updating of maps from 1958. Large numbers of images taken for public bodies continue to be deposited under the direction of The National Archives. Some of the most recent include digital representations of the ground by laser-scanning from the air (LiDAR), captured by the Environment Agency to monitor flood risk but reprocessed and studied by the Royal Commission to bring out archaeological features that would be hardly perceived at ground level.

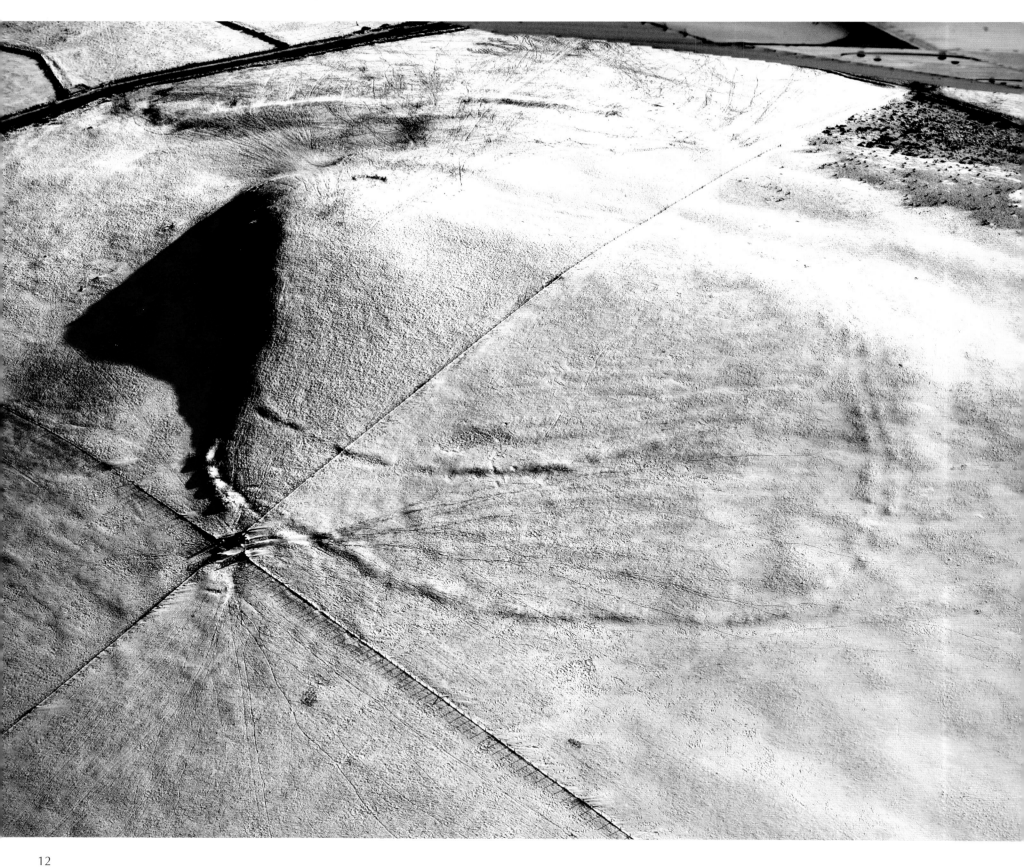

Archaeoleg o'r Awyr

Mae miliynau o bobl wedi byw ar dirwedd Cymru, a llawer ohonynt wedi gadael eu hôl ar y bryniau, y cymoedd a'r dyffrynnoedd, y caeau a'r trefi. Newidiwyd, siapiwyd a chreithiwyd y wlad gan adeiladau, mwyngloddiau a henebion. Mae'r tir yn adrodd ei hanes ei hun ac mae modd ei ddarllen drwy ddisgyblaeth archaeoleg - hanes o ecsbloetio adnoddau, anheddu'r cymoedd a'r dyffrynnoedd a llethrau isaf y bryniau, clirio'r tir mynyddig i'w amaethu neu oresgyn hyd yn oed y rhwystrau mwyaf trafferthus i adeiladu ffyrdd, camlesi a rheilffyrdd. Bu cloddio neu chwarela ar yr isbridd a'r creigwely, crynhoi'r pridd yn derasau wrth droi'r tir, gorchuddio hen gaeau gan domenni sbwriel, ac adeiladu neu bontio dyfrffyrdd. Oddi ar Oes Newydd y Cerrig mae pob cenhedlaeth wedi dod o hyd i ffyrdd o'i hanfarwoli ei hun mewn pridd, pren, cerrig, concrid neu ddur.

Er nad yw pob un o'r olion yn dal i fod yn amlwg a gweladwy, prin yw'r rhai sydd wedi diflannu'n llwyr. Yn y golau cywir ac ar yr adeg iawn o'r flwyddyn, gellir dod o hyd i henebion anghofiedig ac olion bywydau'r trigolion 'slawer dydd. Oddi ar ddyddiau O. G. S. Crawford yn y 1930au, llwyddodd archaeolegwyr sydd wedi tynnu ac astudio awyrluniau i ddatblygu technegau i gyfoethogi'n dealltwriaeth ni o'r gorffennol. Yng Nghymru, mae awyrluniau wedi'u defnyddio oddi ar ddiwedd y 1950au i ddogfennu archaeoleg, a thrwy gydol y chwarter canrif diwethaf mae rhaglen bwrpasol y Comisiwn o arolygu o'r awyr wedi tynnu miloedd ar filoedd o awyrluniau arosgo. Mae'r rheiny bellach yn adnodd amlhaenog sy'n dangos safleoedd hanesyddol mewn goleuni a thymhorau gwahanol a'r newidiadau ynddynt yng nghwrs amser. Drwy fanteisio ar botensial y tir islaw – gwylio eira'n toddi ac yn drifftio dros wrthgloddiau isel, cofnodi cysgodion hir sy'n amlygu mân gloddiau a ffosydd, gweld cnydau mewn sychder yn amlygu patrymau archaeoleg o dan y ddaear – gall archaeolegwyr-o'r-awyr ddod o hyd i henebion sydd ar goll ers cyn cof.

Gall tynnu llun newid hanes cymuned neu addasu ychydig ar y dehongli sydd ar themâu sy'n codi ledled y wlad. Dros ychydig o wythnosau ffodus bob haf sych, mae modd rhoi tirweddau o fryngaerau neu ffyrdd Rhufeinig coll wrth ei gilydd. O gael y cyfuniad prin o dywydd poeth, twf cnydau a'r adeg iawn yn y cylchdro amaethyddol, gall ymchwilwyr chwilio am olion safleoedd archaeolegol claddedig o 1,500 o droedfeddi. P'un ai ffermwyr fil o flynyddoedd yn ôl a wastataodd glawdd a ffos bryngaer o'r Oes Haearn neu ffermwyr yn y 1960au a drodd y tir a chladdu gwaelodion waliau fila Rufeinig, mae'n anodd dileu pob un o olion claddedig safle archaeolegol ar dir ffermio. Bydd blwyddyn boeth a sych yn peri i wreiddiau'r cnydau neu'r gwair yno chwilio am ddŵr a maeth. Os oes hen ffos ynghladd o dan y pridd, bydd tyfiant

Airborne Archaeology

Airborne Archaeology

Millions of lives have been lived in the landscape of Wales; many have left their trace in the hills and valleys, fields and towns. Wales has been manipulated, shaped and scarred by buildings, mines and monuments. The terrain tells its own story – to be read through the discipline of archaeology – of the exploitation of resources, the settlement of valleys and lower hillsides, the clearance of mountain pasture for farming or the construction of roads, canals and railways to tackle even the most challenging barriers. Subsoil and bedrock have been dug into or quarried away, earth has accumulated into plough terraces on hillsides, spoil tips have grown to cover former fields, and waterways have been built or bridged. Each generation since the New Stone Age has found ways to immortalise itself in earth, wood, stone, concrete or steel.

Not all of these traces remain prominent and visible. Few, though, have vanished entirely. In the right light and at the right time of year, forgotten monuments and the imprints of past lives are there to be rediscovered. Since the days of O. G. S. Crawford in the 1930s, aerial archaeologists have developed the techniques of reconnaissance to unlock understanding of the past. Aerial photography has been used in Wales to document archaeology since the late 1950s. Through the last twenty-five years the Commission's dedicated aerial survey programme has captured tens of thousands of oblique aerial images that now represent a multi-layered resource, showcasing historic sites in different lights and seasons and changing through time. By pushing the potential of the land below – watching snow melt and drift over low earthworks, recording long shadows that highlight subtle banks and ditches, seeing drought-stressed crops that yield patterns of buried archaeology – aerial archaeologists can discover monuments that have been lost from sight and memory for generations.

The snap of a shutter can change the history of a community or subtly shift current interpretations of nationwide themes. Over a few precious weeks each dry summer, landscapes of lost hillforts or Roman roads can be pieced together. A fine balance of hot weather, crop growth and agricultural rotation lie behind the discovery of buried archaeological sites when investigators scout for cropmarks from 1,500 feet. Whether the bank and ditch of an Iron Age fort was levelled a thousand years ago by medieval farmers, or the wall-stubs of a Roman villa were lost to ploughing in the 1960s, it is difficult to remove all buried traces of an archaeological site from farmland. In a hot, dry year, growing crops or grass will be put under stress and their roots will search for water and nutrients. Where an old ditch lies buried beneath the soil lush crop growth will yield taller, dark green lines; where the stony remains of a wall or road lie

---

Ffigur 9. O dan aden awyren wrth iddi droi, mae'r cyfuniad cywir o heulwen y gaeaf ac eira'n amlygu mân gloddiau a ffosydd un o henebion cymunedol cynharaf Cymru, sef clostir sarnau Neolithig ar Fynyddoedd y Preseli. Wrth i'r cloddiau a'r ffosydd droi, mae ynddynt lawer bwlch neu 'sarn' a ddangosodd yn 2002 fod yma rywbeth llawer mwy arbennig na bryngaer o'r Oes Haearn. Cadarnhaodd gwaith cloddio Geoffrey Wainwright a Tim Darvill yn 2005 mai dyddiad Neolithig sydd iddo a bod lloc Banc Du, felly, yn cyfoesi â siambrau claddu enwog Sir Benfro, fel Pentre Ifan.

Figure 9. Beneath the wing of a turning plane, just the right combination of winter sunshine and snow pick out the slight banks and ditches of one of Wales' earliest communal monuments, a Neolithic causewayed enclosure in the Preseli Hills. The curving banks and ditches have frequent gaps or 'causeways', indicating in 2002 that this aerial discovery was not an Iron Age hillfort but something much more special. Excavations in 2005 by Geoffrey Wainwright and Tim Darvill confirmed a Neolithic date, showing the Banc Du enclosure was contemporary with the famous stone burial chambers of Pembrokeshire, such as Pentre Ifan.

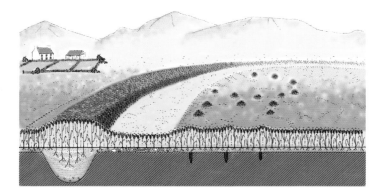

Ffigur 10. Sut mae olion cnydau'n ffurfio: o fferm yn yr Oes Haearn (brig) i wrthglawdd isel (canol) ac yna dir ffermio gwastad (gwaelod). Mae'r dilyniant yn dangos sut y gall rhai o elfennau fferm gynhanesyddol, ac yn arbennig ffos y lloc, y rhagfur amddiffynnol a thyllau'r pyst, oroesi o dan y ddaear ac effeithio ar y ffordd y bydd cnydau âr neu wair yn tyfu adeg sychder yn y gwanwyn a'r haf. O'r awyr y gwelwch chi gliriaf yr olion cnydau a ffurfir gan dwf cyfoethog dros ffos gladdedig neu brinder tyfiant uwchben sylfeini creigiog.

Figure 10. How cropmarks form: from Iron Age farmstead (top), to low earthwork (centre) and then level farmland (bottom). This sequence illustrates how certain elements of a prehistoric farmstead, particularly the enclosure ditch, defensive rampart and postholes, can survive as below-ground features and affect the way that drought-stressed arable crops or grassland grow during spring and summer. The cropmarks formed by lush growth over a buried ditch or stunted growth over stony foundations, are most clearly seen from the air.

Ffigur 11. O'r awyr ger Goginan, Aberystwyth, y cafwyd hyd i'r crug crwn trawiadol hwn yn 2006. Tomen gladdu gydganol o'r Oes Efydd Gynnar (tua 2,500-1,400 CC) sydd yma, ond fe'i gwastatawyd wrth droi'r tir. Pan ymwelwyd â'r cae ar ôl y daith hedfan, gwelwyd yr ôl cnwd a oedd wedi datgelu bodolaeth y crug, sef dau gylch o wair cyfoethog a thyfiant chwyn ar gae a oedd, fel arall, yn wastad. Mesurwyd yr ôl cnwd yn fanwl cyn iddo ddiflannu o dan dyfiant newydd.

Figure 11. This striking round barrow, a plough-levelled concentric burial mound of the Early Bronze Age (about 2,500-1,400 BC), was discovered from the air near Goginan, Aberystwyth, in 2006. A visit to the field after the flight showed the cropmark that had revealed the barrow: two circles of lush grass and weed growth in an otherwise level field. Detailed measurements were taken of the cropmark before it vanished under new growth.

Ffigur 12. Newid hanes cymuned: dau blentyn yn chwarae pêl-droed wrth i'r archaeolegydd sy'n hedfan uwchben sylwi bod yno ffos gylchog gladdedig lloc amddiffynedig o'r Oes Haearn yng nglaswellt sych Cae'r Brenin Siôr yn Efailnewydd, ger Pwllheli. Wedi i Ymddiriedolaeth Archaeolegol Gwynedd gloddio'n arbrofol i ffos ddofn y lloc yno yn ddiweddarach, fe adferwyd y maes chwarae'n ofalus.

Figure 12. Changing the history of a community: two children play football as the archaeologist flying overhead discovers the buried circular ditch of an Iron Age defended enclosure in the parched grass of King George's Field, Efailnewydd, near Pwllheli. Subsequent trial excavation by the Gwynedd Archaeological Trust explored the deep ditch of the enclosure, after which the playing field was carefully reinstated.

cyfoethog y cnwd yn esgor ar linellau talach o wyrdd tywyll; os oes olion caregog wal neu ffordd o dan yr uwchbridd, bydd y cnydau'n melynu'n grablyd. Os bydd tywydd yr haf yn berffaith addas, gall safleoedd claddedig fod mor glir â phelydr-X. Gwelir olion cnydau o'r fath o fis Ebrill tan fis Gorffennaf, ond os ceir glaw trwm neu dywydd mwy tymherus fe ddiflannant bron yn syth a daw'r cynhaeaf i lwyr ddileu eu holion tan yr haf sych nesaf.

Wrth hedfan uwchlaw eira sy'n lluwchio, neu ddal goleuni ola'r machlud ar brynhawn o Ragfyr wrth i'r cysgodion amlygu pob pant a thwmpath ar lethrau bryn, gellir sylwi ar nodweddion creiriol nad yw amaethu neu ddatblygu wedi'u dileu'n llwyr. Ar ddarnau o dir ymylol sydd wedi'u gadael yn dir pori garw neu'n dir comin, gall mân weddillion pentrefi a ffermydd hynafol fod wedi goroesi'n ddigon da i ddangos lle bu unwaith dai unigol neu aradr yn troi'r tir.

Canlyniad chwarter canrif o'r teithiau hedfan hynny yw bod y Comisiwn Brenhinol wedi dod o hyd i gannoedd o safleoedd (gan gynnwys rhai sy'n eithriadol o bwysig). Am nad oes amser i ymchwilio'n llawn i bob safle archaeolegol newydd y ceir hyd iddo, y cyfan a wneir yw ychwanegu gwybodaeth am y mwyafrif ohonynt

beneath the topsoil the crops will turn yellow and be stunted. If summer conditions are just right, buried sites can show as clearly as an X-ray. Such cropmarks may be seen from April through to July, but heavy rain or cooler temperatures soon render them invisible again, while the harvest removes them all together until the next dry summer.

Flying above drifting snow or catching the dying light of a December afternoon as shadows highlight every lump and bump on a hillside can show relict features not entirely swept away by agriculture or development. Across tracts of marginal ground that have been left for rough pasture or common land, vestiges of ancient villages and farms may survive well enough to make out individual houses or the lines once cut by a prehistoric plough.

After twenty-five years of reconnaissance, hundreds of sites (including some of exceptional importance) have been discovered by the Royal Commission. There is not time to investigate fully every new archaeological site that is discovered, and most are simply added to the National Monuments Record of Wales database for future research and reference. However, the most dramatic at gronfa ddata Cofnod Henebion Cenedlaethol Cymru i ymchwilio iddynt a chyfeirio atynt rywdro eto. Ond os ceir darganfyddiad mwy dramatig (fel bryngaer neu anheddiad cynhanesyddol, fila Rufeinig bosibl neu sylfeini tŷ canoloesol sydd heb ei gofnodi) bydd hynny'n cyfiawnhau ymweld â'r tirfeddiannwr i drafod yr olion archaeolegol a gwneud arolwg manwl o unrhyw wrthglawdd sydd wedi goroesi ar lawr gwlad. Dros y blynyddoedd diwethaf mae Ymddiriedolaethau Archaeolegol Cymru wedi cael cyllid gan raglenni Cadw i ymchwilio i rai o'r safleoedd pwysig y cafwyd hyd iddynt o'r awyr. Os gallai'r safleoedd fod o bwys cenedlaethol, caiff manylion amdanynt eu hanfon ymlaen i Cadw i ystyried diogelu'r safleoedd hynny'n Henebion Cofrestredig.

Tynnu awyrluniau yw un o'r ffyrdd gorau – o hyd – o ddogfennu newidiadau hanesyddol. Yn hyn o beth, mae gwaith y Comisiwn Brenhinol yn mynd y tu hwnt i waith darganfod ac yn cynnwys cofnodi diwylliant, tirwedd a phobl Cymru. Gan fod prosiectau newydd ym maes peirianneg sifil, digwyddiadau chwaraeon neu eisteddfodau'n dangos y Gymru gyfoes ar ei mwyaf amrywiol, bydd y lluniau a dynnir ohonynt, ochr yn ochr ag awyrluniau a chofnodion eraill, llawer hŷn, yn yr archif yn troi ymhen amser yn gofnod unigryw o'r newidiadau sy'n digwydd heddiw.

discoveries (for example prehistoric hillforts or settlements, potential Roman villas or the footings of unrecorded medieval houses) will warrant a visit to discuss the archaeology with the landowner and make a detailed survey of any earthworks that survive at ground level. Some major aerial discoveries from recent years have been investigated through Cadw-funded programmes of excavation by the Welsh Archaeological Trusts. Details of sites potentially of national importance are forwarded to Cadw so they can consider protecting them as Scheduled Ancient Monuments.

The aerial perspective also remains one of the best ways to document historical change. The Royal Commission's work in the air goes beyond discovery to recording the culture, landscape and people of Wales. New civil engineering projects, sporting events or eisteddfodau show contemporary Wales at it most diverse. In time, images made of these provide their own unique record of contemporary change, alongside far older aerial photographs and other records in the archive.

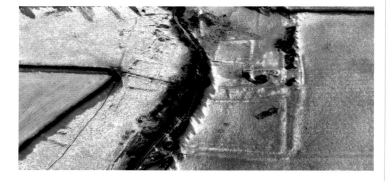

Ffigur 13. Mae gwahanol gyfraddau toddi'r rhew trwm yn dangos gwrthgloddiau a sylfeini adeilad maenor ganoloesol Marcroes ym Mro Morgannwg. Ar y chwith i'r ffordd, mae'r llethr sy'n wynebu'r gogledd – ac sydd felly'n oerach – yn cadw haen o rew sy'n amlygu gwrthgloddiau a sylfeini muriau fel 'golau a chysgod'. Ar y dde, mae'r rhew ar fryn sy'n wynebu'r de wedi toddi'n rhannol ond wedi aros lle mae'r tir yn oerach. Am foment, felly, ceir cipolwg drwy'r pridd am fod meini oer y waliau a sylfeini'r adeiladau i'w gweld yn y rhew yn erbyn y glaswelltir cynhesach. Anaml iawn iawn y cofnodir y ffenomen dymhorol hon.

Figure 13. Differential melting of a heavy frost reveals the earthworks and building foundations of the medieval grange of Marcross in the Vale of Glamorgan. On the left of the road, a colder north-facing hillslope retains a blanket covering of frost that shows up earthworks and wall stubs as 'light and shadow'. On the right the frost has partially melted on a south-facing hill, but stayed where the ground is colder. Thus, just momentarily, it is possible to capture a glimpse through the soil – the cold, turf-covered stonework of walls and building footings is picked out in frost against the warmer grassland; such a seasonal phenomenon is only recorded in the narrowest of weather windows.

Ffigur 14. Cynaeafu heulwen yw'r diwydiant newydd yn y caeau lle'r arferid tyfu cnydau. Yma, codir fferm haul ar fferm Llancaeo, ger Brynbuga, ar dro llydan yn yr afon ger safle un o ddwy deml hysbys y Rhufeiniaid yn nwyrain Cymru. Cam go fras ymlaen o'r felin wynt draddodiadol (yn y cefndir) yw hon er mai defnyddio adnoddau adnewyddadwy i greu pŵer wnaiff y ddwy (gweler ffigur 129).

Figure 14. In fields where crops once grew, the sun becomes the new harvest. A solar farm is installed at Llancayo Farm, near Usk, on a wide river bend close to where the Romans established one of two known temples in eastern Wales. It represents a quantum leap from the traditional windmill (background); both use renewable resources to provide power (see figure 129).

Dod o hyd i Fila Abermagwr

Discovering Abermagwr Villa

Roedd hi'n hysbys ers tro byd fod lloc ac ynddo olion cnydau a ffos ddwbl yn bod ger llawr cwm Ystwyth, filltir o'r gaer Rufeinig yn Nhrawsgoed, Ceredigion, ond wyddai neb yn iawn beth oedd ef. Mae archaeolegwyr-o'r-awyr wedi dod o hyd i lociau Rhufeinig – fel caerau a gwersylloedd – yng Nghymru drwy adnabod eu siâp

Close to the floor of the Ystwyth valley, a mile from the Roman fort at Trawsgoed, Ceredigion, a double-ditched cropmark enclosure had long been known, but it remained a puzzle. Aerial archaeologists have discovered Roman enclosures in Wales – such as forts and camps – by recognising a 'playing card' shape with

Ffigur 15. Abermagwr. Awyrlun o'r olion cnydau yn 2006, a ddatgelodd fod adeilad o gerrig ynghladd yng nghornel ucha'r lloc mawr.

Figure 15. Abermagwr. Aerial view of cropmarks from 2006, which revealed a buried stone building in the top corner of a large enclosure.

'cerdyn chwarae' a'u corneli crwn. Ond corneli sgwâr oedd i'r safle hwn. Dangosodd olion cnydau clir yn 2006 fod sylfeini adeilad o gerrig ynghladd mewn un cornel o'r lloc enfawr. Gan ei fod yn 23 metr o hyd, byddai wedi bod yn un o'r adeiladau mwyaf sylweddol o gerrig yn y fro, ond doedd dim cofnod ohono o gwbl.

rounded corners. This site, however, had sharp corners. Clearer cropmarks showing in 2006 indicated the footings of a buried stone building in one corner of a vast double-ditched enclosure. At 23 metres long this would have been one of the more substantial stone buildings in the locality, yet it was completely lost from the record.

Ffigur 16. Cloddio i bwrpas. Ffos arbrofol yn 2010 a roes ddyddiad o ddiwedd oes y Rhufeiniaid i'r fila. Ymwelodd plant o ysgolion cynradd lleol, gan gynnwys y rhai o Ysgol Llanafan sydd yn y llun, â'r safle i weld hanes yn codi o'r pridd.

Figure 16. Excavating with a purpose. A trial trench in 2010 established a late-Roman date for the villa. Children from local primary schools, including Llanafan School pictured here, visited the site to see history being unearthed.

Ffigur 17. Ffrwyth yr arolwg geoffisegol o'r fila Rufeinig.

Figure 17. Geophysical survey of the Roman villa.

O wneud arolwg geoffisegol, gwelwyd bod yno gynllun adeilad adeiniog ac iddo dair prif ystafell, sef clasur o fila Rufeinig â 'choridor adeiniog'. Er yr holl gyffro, yr oedd dirgelwch am nad oedd neb wedi dod o hyd i fila Rufeinig yng Ngheredigion bryd hynny, na'r un ohonynt mor bell i'r gogledd neu'r gorllewin yng Nghymru. Gan fod angen dyddio'r adeilad, gwnaed gwaith cloddio arbrofol yno yn 2010 dan gyfarwyddyd Jeffrey Davies a Toby Driver. Wrth gloddio ffos gul gwelwyd bod ystafelloedd canolog fila Frythonig-Rufeinig yn goroesi cwta 200 milimetr o dan y pridd. Darganfyddiad syfrdanol oedd hwnnw: mae hi bron yn sicr y cawsai olion mor fas eu dinistrio petai'r safle wedi bod ar y tir âr a gaiff ei amaethu'n ddwysach yn y de. Rhyfeddai'r pentrefwyr fod cartref godidog a Rhufeineiddiedig tirfeddiannwr lleol cyfoethog o ddiwedd y drydedd ganrif a dechrau'r bedwaredd ganrif OC wedi dod i'r golwg o dan gae.

Wrth gloddio ymhellach yn 2011 datgelwyd rhagor eto o'r fila, gan gynnwys patrwm yr ystafell ganolog sy'n cynnwys lle tân canolog ac iddo ymylon o gerrig, a ffwrn ac iddi gromen o glai. Cawsai cerrig waliau'r fila eu dwyn oddi yno i godi ffermdai lleol ychydig ganrifoedd yn ôl gan adael y sylfeini'n unig yn olion crasu mewn hafau sych. Mae'r chwilio bellach yn mynd rhagddo am ragor o filâu Rhufeinig ym mryniau'r canolbarth.

Geophysical survey clarified the plan of a winged building with three main rooms: a classic 'winged corridor' Roman villa. There was great excitement, but also mystery. No Roman villas had yet been found in Ceredigion, nor any this far north or west in Wales. Faced with a need to date the building, a trial excavation was carried out in 2010 directed by Jeffrey Davies and Toby Driver. A narrow trench revealed the central rooms of a Romano-British villa surviving just 200 millimetres below the ploughsoil. This was a remarkable discovery: similar shallow remains would almost certainly have been ploughed away in the more intensively-farmed arable lands of south Wales. Villagers were amazed that the opulent, Romanised home of a wealthy local landowner from the late third and early fourth centuries AD had emerged from beneath a field.

Further excavations in 2011 revealed still more of the villa, including the layout of the central room with its stone-edged central fireplace and clay-domed oven. The quarried stone from the villa walls had been systematically robbed to build local farms a few centuries ago, leaving just the foundations to form a parchmark in dry summers. The hunt is now on for further Roman villas in the hills of mid Wales.

Mae chwilio o'r awyr bob amser yn her. Dydy'r awyrluniau llonydd a mud a atgynhyrchir yn y llyfr hwn yn cyfleu dim, bron, am yr hedfan herciog, am barablu'r radio, am sŵn y peiriant yn yr awyrennau a hyrddiadau'r gwynt, na dim am y criwiau milwrol a fu wrthi'n casglu'r lluniau hanesyddol hyn. Yn y gaeaf, bydd teirawr o daith mewn awyren ddifrifol o rynllyd yn her i ddycnwch y ffotograffydd, y peilot a'r camera tan y daw'r glanio a'r cyfle i gynhesu eto (rhaid bod yr amodau wedi bod yn waeth o lawer i arloeswyr Aerofilms a'r Llu Awyr yn eu hawyrennau agored). Wrth hedfan yng nghyffiniau'r meysydd awyr mawr, rhaid bachu ar bob cyfle wrth yr eiliad rhag i reolwyr y traffig awyr fynnu i chi newid eich llwybr neu ddal yn ôl. Gyda'r hwyr neu ar benwythnos yn unig y bydd meysydd tanio a mannau hyfforddi milwrol ar agor, ond yno ceir lluniau rhyfedd o dargedau ar gopaon y bryniau ac o 'bentrefi' hyfforddi anghyfannedd yn ogystal â safleoedd hynafol.

Aerial reconnaissance is always a challenge. The still and silent aerial photographs reproduced in this book tell little of the turbulence, radio chatter, engine noise and blasting wind of the cockpits they were captured from, nor anything of the past military aircrews who gathered historic images. In winter, the temperature inside the aircraft drops well below freezing, challenging the endurance of photographer, pilot and camera equipment on a three-hour flight, before landing to thaw out (conditions must have been much worse in the open cockpits endured by the Aerofilms and RAF pioneers). When operating in the controlled airspace of the larger airports, chances are seized by the second as air traffic control dictates changes in trajectory or holding patterns. Firing ranges and military training areas are open only in the evenings or weekend, but they yield strange images of hilltop targets and abandoned training 'villages' as well as ancient sites.

Laser yn datgelu rhagfuriau: Gwersyll Caerau, Caerdydd.

Ramparts revealed by laser: Caerau Camp, Cardiff.

Er bod Gwersyll Caerau (brig) yn swatio bron o'r golwg yng nghanol tai yn Nhrelái yng ngorllewin Caerdydd, mae'n un o fryngaerau mwyaf a mwyaf trawiadol y de. O'i amgylch tua'r gogledd mae tai modern, ac i'r de ohono heddiw mae ffordd ddeuol brysur yr A4232. Ond yn yr Oes Haearn hwn oedd un o gadarnleoedd llwyth y Silwriaid a drigai yn y rhan hon o'r wlad cyn dyfodiad y Rhufeiniaid.

Heddiw, gorchuddir ei ragfuriau gan goed, ond gall technoleg newydd sy'n defnyddio sganio â laser o'r awyr (LiDAR) dreiddio drwy'r coed a dadlennu'r trysorau archaeolegol o danynt.

Er i'r fyddin ddatblygu LiDAR yn wreiddiol i fapio topograffi'n fanwl-gywir, gwneir defnydd sifil ohono erbyn hyn, a thros y blynyddoedd diwethaf fe'i trawsffurfiwyd yn arf effeithiol i fapio nodweddion archaeolegol. Effaith allyrru pyliau byr o olau laser yn yr amrediad isgoch at y ddaear gan y synhwyrydd LiDAR o dan yr awyren yw creu un neu ragor o adleisiau. Er y daw rhai adleisiau

Nestled in the west Cardiff suburb of Ely, Caerau Camp (top) is one of the largest and most impressive hillforts in south Wales. Now encircled to the north by modern housing and to the south by the busy A4232 dual carriageway, it was once a stronghold of the Iron Age Silurian tribe, who inhabited this part of Wales before the arrival of the Romans.

Today, the ramparts are concealed beneath trees, but new technology employing aerial laser scanning (LiDAR) can penetrate beneath the tree canopy and reveal the archaeological treasures below.

Originally developed by the military to map topography accurately, LiDAR has now been turned to civil use and in recent years has been transformed into an effective tool for mapping archaeological features. The LiDAR sensor mounted below an aircraft emits short laser pulses in the infrared range towards the ground, which results in one or more echoes. Some echoes are

Ffigur 18 (uchod). Awyrlun o Wersyll Caerau, Caerdydd, sy'n dangos y fryngaer â thai o'i hamgylch. Mae ei rhagfuriau o'r golwg o dan y coed.

Figure 18 (above). Aerial view of Caerau Camp, Cardiff, shows the hillfort surrounded by houses and the ramparts hidden under woodland.

Ffigur 19 (de). Cynhyrchwyd y model digidol o arwyneb Gwersyll Caerau, Caerdydd, drwy ei sganio â laser o'r awyr (LiDAR) ac mae'n dangos ffurf drionglog arbennig tu mewn y fryngaer ymhlith y tai a'r coed.

Figure 19 (right). A digital surface model of Caerau Camp, produced by aerial laser scanning (LiDAR) shows the distinctive triangular interior of the hillfort set amongst houses and trees.

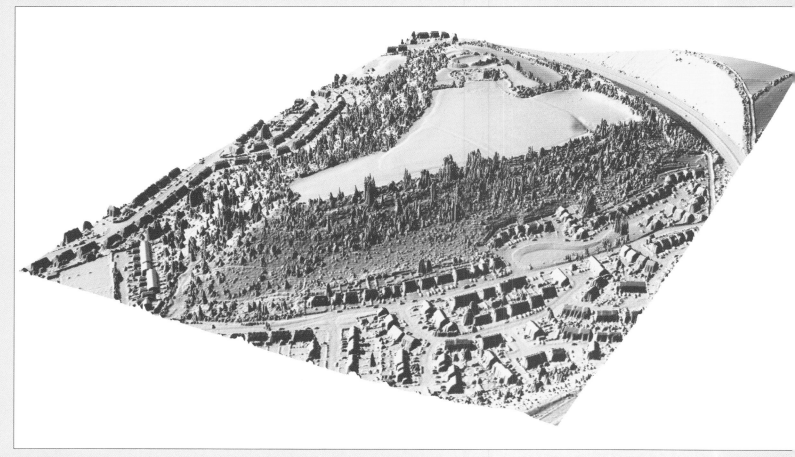

o'r coed a'r llystyfiant, o'r tir ei hun fel rheol y daw'r adlais olaf. Gan fod arolwg LiDAR yn cynhyrchu miloedd o bwyntiau o'r fath, mae modd eu defnyddio i greu model digidol o'r arwyneb (chwith) sy'n cynnwys yr holl nodweddion fel llystyfiant ac adeiladau, a model digidol o'r tir (de) sydd heb ddim o'r llystyfiant na'r adeiladau arno. Yn 2011 fe dalodd Adran Archaeoleg a Niwmismateg Amgueddfa Cymru, ynghyd â Cadw a'r Comisiwn Brenhinol, am wneud arolwg LiDAR o Amgueddfa Werin Cymru, Sain Ffagan, a'i chyffiniau, gan gynnwys Trelái.

Gan fod modd gweld o dan y coed, mae model y Comisiwn o Wersyll Caerau yn Nhrelái yn cynyddu'n dealltwriaeth ni o'r fryngaer gudd hon yn syth. Ar lethrau serth y de a'r gogledd ceir tri rhagfur enfawr ynghyd â'u ffosydd. Rhaid bod eu codi wedi bod yn waith enfawr a gynyddodd fri'r gaer a meithrin ymwybyddiaeth o le ac o gymuned ymhlith ei thrigolion.

Mae Gwersyll Caerau'n dal i fod yn safle arbennig i gymunedau heddiw am fod yr ymchwilio parhaus iddo'n ganolbwynt i Brosiect Treftadaeth cymunedol CAER. Nod y prosiect yw gweithio gydag ysgolion a grwpiau cymunedol lleol i ddatblygu cyfleoedd addysgol ac i ymchwilio i orffennol Trelái drwy olrhain hanes y fryngaer.

received from trees and vegetation, but the last echo is typically received from the ground itself. A LiDAR survey produces thousands of such points, which can be used to create a digital surface model (left) that includes all the features on it such as vegetation and buildings, and a digital terrain model (right) with vegetation and buildings stripped away. In 2011 the Department for Archaeology and Numismatics of Amgueddfa Cymru – National Museum Wales along with Cadw and the Royal Commission funded a LiDAR survey of St Fagans National History Museum and its environs including Ely.

Seeing under the trees, the Commission's model of Caerau Camp, Ely, immediately creates a better understanding of this hidden hillfort. The steep north and south slopes are both fortified by three massive ramparts with accompanying ditches. These must have been enormous undertakings, both enhancing the prestige of the settlement and providing people with a sense of place and community.

Caerau Camp is still a special site for contemporary communities and ongoing research forms the focal point for the community-led CAER Heritage Project. Working with local schools and community groups to develop educational opportunities, this project aims to explore Ely's past through the story of the hillfort.

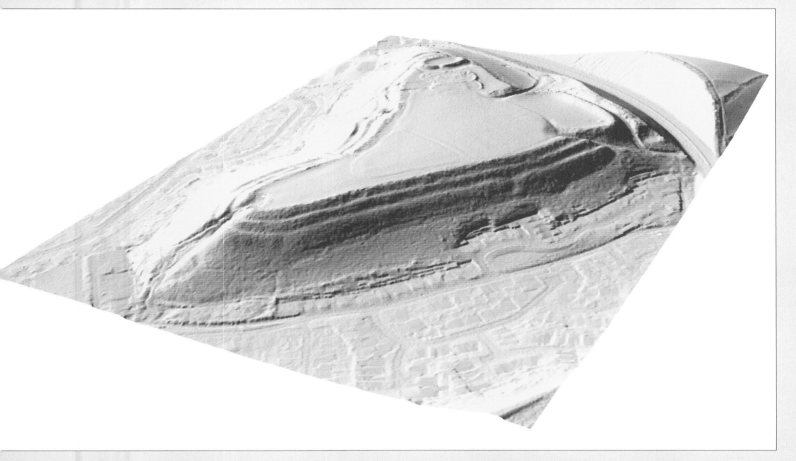

Ffigur 20. O brosesu rhagor ar ganlyniadau data LiDAR a chreu model digidol o'r 'tir moel', heb y tai a'r coed, daw'r fryngaer yn fyw a dangos ei ragfuriau gwych a'i ffosydd.

Figure 20. Further processing of the LiDAR data results in a 'bare-earth' digital terrain model, with houses and trees stripped away, which brings the hillfort to life by revealing the magnificent sculpted ramparts and ditches.

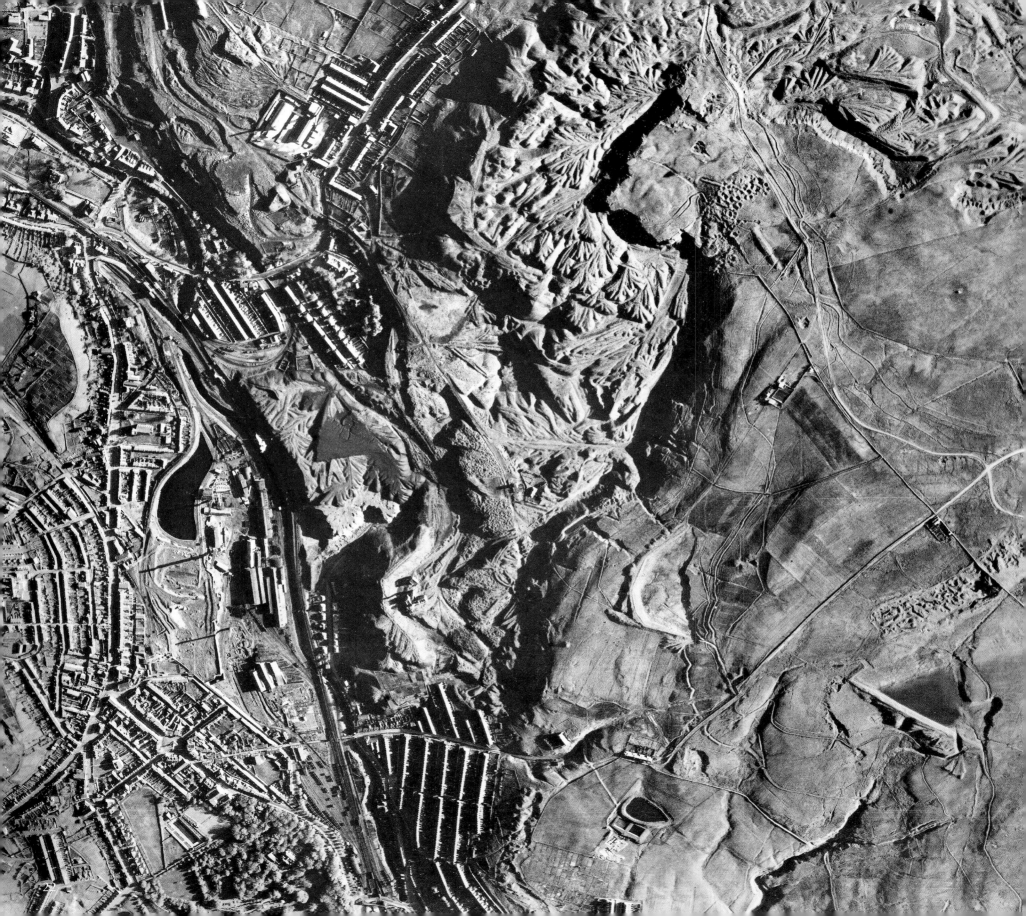

Trysorau o'r Awyr

Treasures from the Air

Ffigur 21. Adeg y Chwyldro Diwydiannol fe godwyd cyfres o weithfeydd haearn a threfi haearn ym mlaenau cymoedd y de am fod yno swmp o lo a mwyn yn codi i'r wyneb yno. O ran cynhyrchu haearn, dyma brif ganolfan y byd. Ers i'r Llu Awyr dynnu'r llun hwn ym 1947, mae tir y we gymhleth o fwyngloddiau a chwarrau ar hyd llethrau'r bryniau, a thir y tomenni glo ar hyd llawr y cymoedd, wedi'i adfer. Ar y brig ar y chwith mae'r Gwaith Haearn yn Sirhywi a fu ar waith am 101 o flynyddoedd o 1778 ymlaen. Ar y chwith ar y gwaelod, yng nghysgod dwy simnai anferth, mae Gwaith Haearn Tredegar – gwaith a fu'n cynhyrchu haearn drwy gydol y bedwaredd ganrif ar bymtheg. Ar wahân i batrwm taclus Tredegar a therasau Georgetown yn y de, mae'r rhesi o dai'n ymlwybro rhwng y tomenni ac ar hyd y tramffyrdd.

Figure 21. In the Industrial Revolution, a string of ironworks and iron towns colonised the north ends of the south Wales valleys (Heads of the Valleys), attracted by vast outcrops of coal and ore. This became the greatest iron-producing region in the world. The intricate mine and quarry workings covering the hillside and the slag heaps on the valley floor have been reclaimed since this RAF photograph was taken in 1947. Sirhowy Ironworks, which operated for 101 years from 1778, is top left. Tredegar Ironworks, which made iron throughout the nineteenth century, is bottom left, marked by the shadows of two enormous chimneys. Housing straggles between tips and along tramroads, apart from the planned grid of Tredegar and the terraces of Georgetown to the south.

Ategir ffotograffau archaeolegol y Comisiwn Brenhinol â chynnyrch bron i ganrif o ffotograffau a dynnwyd at amrywiaeth mawr o ddibenion eraill. Ers i bobl allu hedfan mewn awyrennau ac offer tebyg ac i gamerâu fod yn haws eu cludo, mae edrych i lawr o'r awyr wedi bod yn demtasiwn enfawr i ffotograffwyr. Y llwyfan cadarn cynharaf i dynnu lluniau oddi arno oedd balŵn nwy neu falŵn aer poeth: cofnodwyd Côr y Cewri o falŵn ym 1907. Trodd y gamp yn wyddor yn ystod y Rhyfel Byd Cyntaf pan sylweddolwyd am y tro cyntaf gymaint oedd gwerth chwilio'n strategol o'r awyr. Bu ffotograffau fertigol yn ffynhonnell allweddol o wybodaeth i gynllunwyr milwrol. Drwy roi parau stereosgopig o luniau i orgyffwrdd gellid gweld patrymau'r tir a'r ffosydd yn glir iawn a dehongli'r nodweddion milwrol. Wedi'r rhyfel, ceisiodd yr hen awyrenwyr ddefnyddio'u sgiliau eto. Ym 1919 aeth F. L. Wills, arsylwr yng Ngwasanaeth Awyr y Llynges Frenhinol gynt, a Claud Graham-White, arloeswr o awyrennwr o'r cyfnod cyn y Rhyfel Mawr, ati i sefydlu Aerofilms, y cwmni cyntaf ym Mhrydain i arbenigo ar dynnu awyrluniau.

Gan i'r Comisiwn Brenhinol yn ei restr o henebion y sir ym 1925 ddefnyddio pedwar llun o Sir Benfro a dynnwyd gan ffotograffydd masnachol, gall hawlio mai ef oedd y corff cyntaf i ddefnyddio awyrluniau mewn cyhoeddiad archaeolegol yng Nghymru. Rhwng y ddau ryfel byd, dechreuodd cwmnïau fel Aerofilms ac unigolion preifat dynnu awyrluniau o dirwedd Prydain at ddibenion masnach ac addysg. Yna, yn ystod yr Ail Ryfel Byd datblygodd awyrennau a thechnoleg chwilio o'r awyr yn gyflym a throi'r chwilio hwnnw'n arf hollbwysig yn erbyn y gelyn. Bu hynny'n help i wneud awyrluniau'n bethau cyffredin. Dyrchafodd y Llu Awyr y chwilio o'r awyr yn wyddor fanwl-gywir yn sgil datblygiadau tebyg gan y Luftwaffe. Gan hedfan yn uchel, gwnaed arolygon fertigol dros dir y gelyn, a hynny'n aml yn nannedd ymosodiad. Câi awyrennau pwrpasol â chamerâu arosgo a wynebai tuag ymlaen neu tua'r ochr eu hedfan yn fentrus o isel - gan brin godi uwchlaw lefel y toeon a meysydd awyr - i gofnodi adeiladau cyfrinachol fel safleoedd y gelyn ar dir Ffrainc lle câi'r bom hedegog ei lansio. Drwy astudio'r printiau'n stereosgopig, llwyddwyd i greu modelau a mosaigau tri-dimensiwn i'r peilotiaid a oedd ar fin hedfan awyrennau bomio allu gweld yn union sut oedd cyrraedd ac adnabod trefi, porthladdoedd a safleoedd peirianyddol.

Wedi'r rhyfel, rhoddwyd peilotiaid a thechnegwyr medrus ar waith i hedfan dros Brydain a thynnu'r llu o awyrluniau hanesyddol a gwerthfawr sydd gennym ni heddiw. I greu awyrluniau addysgol a masnachol mwy atyniadol, bu awyrlunwyr preifat yn tynnu lluniau arosgo ran amlaf gan ddal eu camerâu yn eu dwylo. I'r categori

The Royal Commission's archaeological photographs are complemented by nearly a century's worth of photographs taken for a wide range of other purposes. Since people achieved lighter-than-air flight and cameras became more portable, the elevated viewpoint has proved irresistible for photographers. Gas and hot air balloons provided the earliest steady platform for photography: Stonehenge was recorded from a tethered balloon in 1907. Art became science during the First World War when the value of strategic aerial reconnaissance was first fully realised. Vertical photographs formed a key source for military intelligence. Overlapping stereoscopic pairs could vividly record terrain and trench patterns and allow military features to be interpreted. After the war, former airmen sought to use their skills in civilian roles. In 1919 Aerofilms, founded by former Royal Naval Air Service observer F. L. Wills and pre-war pioneer aviator Claud Graham-White, became the first company in Britain to specialise in aerial photography.

The Royal Commission can lay claim to the first use of aerial photography for an archaeological publication in Wales, using four views of Pembrokeshire taken by a commercial photographer in its inventory of the county in 1925. During the inter-war years companies such as Aerofilms and private individuals began to record the landscape of Britain from above for commercial and educational uses. The rapid developments in aircraft and aerial reconnaissance technology during the Second World War, when strategic reconnaissance became a vital weapon against the enemy, helped to make aerial photography ubiquitous. Air-photo reconnaissance was elevated to a precise science by the RAF, matching similar developments by the Luftwaffe. High-level vertical surveys were carried out over hostile territory, often under fire. Daring low-level passes were made in photo reconnaissance aircraft fitted with forward or side-facing oblique cameras, to record secret installations such as the flying bomb launch sites in occupied France, they sometimes barely cleared roof tops and enemy airfields. Stereoscopic viewing of the prints enabled three-dimensional models and mosaics to be made so that pilots preparing for bombing missions could see exactly how to approach and recognise towns, ports and engineering features.

After the war, skilled reconnaissance pilots and technicians were put to work overflying Britain, yielding the multitude of valuable historic images we have today. For more user-friendly educational and commercial consumption, private aerial photographers mostly took oblique views using a hand-held camera in the cockpit. The majority of the Aerofilms photographs fall into

Ffigur 22. Dadlennu'r tir. Dyma awyrlun fertigol a dynnwyd gan yr Arolwg Ordnans yn ystod taith ddigon cyffredin yn haf poeth 1975. Pan astudiodd archaeolegwyr y Comisiwn Brenhinol ef am y tro cyntaf ugain mlynedd yn ddiweddarach, sylwyd ei fod yn dangos olion cnydau tri anheddiad amddiffynedig o'r Oes Haearn – tri nad oeddent yn hysbys cynt – yn East Orchard Wood, Aberddawan ym Mro Morgannwg. Cyn i'r tir gael ei droi, caerau pentir sylweddol oedd safleoedd A ac C, ac mae ffosydd cydganol safle B yn dangos y bu yno fferm lai cadarn ei hamddiffynfeydd.

Figure 22. Undiscovered country. In a single vertical aerial photograph cropmarks of three previously undocumented Iron Age defended settlements are revealed, at East Orchard Wood, Aberthaw in the Vale of Glamorgan. Taken by the Ordnance Survey during a routine flight in the hot summer of 1975, these images were first examined by Royal Commission archaeologists twenty years later. Before plough-levelling, sites A and C were substantial promontory forts, while the concentric ditches of site B denote a more lightly defended farm.

hwnnw y perthyn y mwyafrif o ffotograffau Aerofilms: cofnodant safleoedd diwydiannol, ysgolion a cholegau newydd, datblygiadau trefol, nodweddion mawr y dirwedd ac atyniadau i dwristiaid.

Lluniau du a gwyn yw'r mwyafrif o'r rhai sydd yng Nghofnod Henebion Cenedlaethol Cymru ac fe'u tynnwyd yn fertigol gan gamera a osodwyd ym mol yr awyren i edrych yn syth i lawr at y tir islaw. Rhwng 1945 a 1965, ar ôl eu rhyddhau rhag cyfyngiadau cyfrinachedd milwrol, y tynnwyd y mwyafrif o brintiau'r Llu Awyr sydd yn yr archif, a thynnwyd y rhai diweddarach rhwng 1962 a heddiw ar deithiau hedfan yr Arolwg Ordnans. Er bod y printiau bach yn edrych yn aml fel petaent yn anodd eu defnyddio, bydd gosod eu hymylon dros ei gilydd ac edrych arnynt yn stereosgopig yn fodd i weld lluniau tri-dimensiwn o strydoedd a thirweddau diflanedig. Yn y rhai cynharaf gwelir y dirwedd cyn gweithredu'r cynlluniau amaethu neu goedwigo dwys a'r rhaglenni i godi tai a datblygiadau eraill ar gyrion trefi wedi'r rhyfel. Drwy astudio'r lluniau hanesyddol hynny gellir dal i gael gwybod am lu o safleoedd archaeolegol neu hyd yn oed ddod o hyd i rai newydd: bydd y Comisiwn yn eu defnyddio i fapio safleoedd archaeolegol ar gyfer ei fenter, Menter Archaeoleg yr Uwchdiroedd, sy'n fodd i adnabod miloedd o safleoedd newydd bob blwyddyn. Gall y dogfennu ar newidiadau rhyfeddol yr ugeinfed ganrif weithiau'ch synnu chi'n fawr iawn am ei fod yn cyfleu'n glir y dileu a fu ar hen dirweddau diwydiannol a chodi tai ac ystadau masnachu arnynt a boddi cymoedd tawel i godi cronfeydd dŵr ynddynt, fel yn achos Llyn Tryweryn.

this category, recording new industrial sites, schools and colleges, urban development, major landscape features and tourist attractions.

Most of the photographs in the National Monuments Record of Wales are black and white images taken vertically by a camera set in the belly of the aircraft, looking straight down at the land below. The majority of Royal Air Force prints in the archive, declassified from the highest levels of military secrecy, date from 1945 to 1965, with later examples flown by the Ordnance Survey dating from 1962 to the present. These small file prints often look difficult to use but can be overlapped with one another to be viewed stereo-scopically, yielding three-dimensional images of vanished streets and landscapes. The earliest show the landscape prior to intensive post-war agricultural or afforestation schemes and suburban and out-of-town development programmes. Many archaeological sites can still be learned about or even newly identified from these historic images: the Commission uses them to map archaeological sites to support its Uplands Archaeology Initiative, resulting in the identification of thousands of new sites each year. The documentation of the phenomenal changes in the twentieth century is sometimes shocking, illustrating the obliteration of former industrial landscapes for new housing and trading estates and quiet valleys drowned for reservoirs such as Tryweryn.

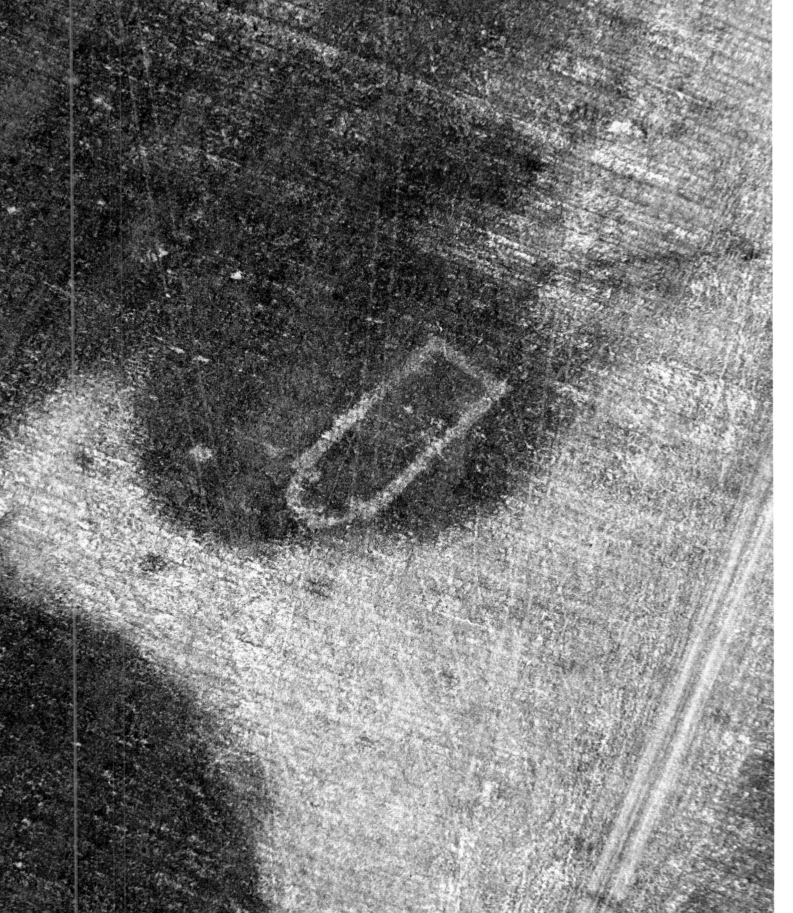

Ffigur 23. Wrth i dynnwr awyrluniau'r Comisiwn Brenhinol hedfan dros dir pori sych iawn yn Llwydfaen, Tal-y-cafn, ym mis Gorffennaf 2006, fe sylwodd ar olion eglwys Normanaidd ac iddi ben cromfannol. Hi oedd canolbwynt tref newydd a godwyd gan Normaniaid optimistaidd. Bellach, dangosir i'r dref fod yno gan olion ymledol y ffyrdd a'r adeiladau gwasgaredig a godwyd ar lawr ffrwythlon Dyffryn Conwy rywbryd yn yr unfed ganrif ar ddeg. Methiant fu'r dref a darfu amdani hi – a llu o rai eraill yn y gogledd – ganrifoedd maith yn ôl. Heddiw, er bod gwartheg yn pori lle'r unwaith y cenid offeren, mae'r eglwys wedi adennill ei lle yng nghalonnau a meddyliau'r plwyfolion lleol.

Figure 23. Long lost from memory, the footprint of a Norman church with an apsidal end was discovered in parched pasture at Llwydfaen, Tal-y-cafn, during Royal Commission aerial reconnaissance in July 2006. This was the focal point of an optimistic new Norman township, marked now by wide-spreading cropmarks of roads and scattered buildings, established on the fertile valley floor of the Vale of Conwy sometime in the eleventh century. The township failed and disappeared centuries ago along with many others in north Wales. Today, though cattle graze where mass was once celebrated, the church has regained a place in the hearts and minds of local parishioners.

Golwg y Tir

The Lie of the Land

Ffigur 24. Niwl rhewllyd ym mis Rhagfyr 2007 yn llenwi dyffryn Gwy i'r gogledd o Raeadr Gwy, ac ymylon brau'r niwl yn ymestyn hyd at gaeau a thir comin rhewllyd ar hyd cefnen grom y Gamallt (chwith). Yn y tu blaen ceir Gwarchodfa Natur Ymddiriedolaeth Bywyd Gwyllt Sir Faesyfed ar Fferm y Gilfach, ac i'r gogledd-orllewin ohoni mae fferm wynt Bryn Titli ac yna fferm wynt Cefn Croes, Eisteddfa Gurig, draw tua'r gorwel. O dan y niwl yn y cwm islaw'r Gamallt ar y chwith mae hen dŷ hir canoloesol Nannerth.

Figure 24. Freezing fog in December 2007 infills the Wye valley north of Rhayader, with the feathered edge of the fog giving way to frosted fields and upland commons along the curving ridge of Gamallt (left). In the foreground is the Radnorshire Wildlife Trust's Gilfach Farm nature reserve, looking north-west to the Bryn Titli windfarm in the middle distance and the Cefn Croes windfarm, Eisteddfa Gurig, in the centre distance. The well-known medieval longhouse at Nannerth lies shrouded in the fog in the valley below Gamallt to the left.

O edrych arni o'r awyr, mae Cymru'n wlad ryfeddol o ddramatig. Ac oherwydd amrywiaeth y gwahanol rannau ohoni, mae'n dal i gynnig cryn gyfle i ni ddarganfod ac archwilio'i holion archaeolegol. Ar y gorwel pell wrth godi i'r awyr ar ddiwrnod clir, gellir gweld prif gopaon Cymru – Pen y Fan, Cadair Idris a'r Wyddfa, neu fynyddoedd y Berwyn i'r gogledd-ddwyrain – yn codi'n dalog o blith y bryniau a'r mynyddoedd o'u hamgylch. Ar draws y canolbarth, fe wêl yr archaeolegydd-o'r-awyr wastatir uchel a thonnog sy'n frith o lethrau serth a chymoedd dyfnion. O hedfan yno'n uniongyrchol, gall awr o daith gyrraedd y rhan fwyaf o rannau'r wlad ond gall teithiau ymhellach oddi cartref, a'r amser i chwilio ac arsylwi ei llu rhanbarthau'n fanwl, olygu bod rhaid glanio i godi rhagor o danwydd cyn troi am adref.

Caiff y teithiau eu cynllunio'n ofalus i fanteisio ar botensial arbennig gwahanol rannau'r wlad wych hon. Bydd ei dyffrynnoedd mawr, gan gynnwys rhai Tywi, Gwy, Tanad, Dyfrdwy, Mawddach, Dyfi ac Ystwyth – lle bu amaethwyr ac anheddwyr o'r cyfnod cynhanesyddol hyd heddiw yn dyfal drin y tir – yn ymestyn i'r bryniau a hyd at y bylchau uchel y bu pobl yn eu tramwyo ar hyd yr oesoedd. Am eu bod yn gwahanu rhanbarthau cymhleth Cymru, mae modd mynd ati, os bydd y tywydd yn caniatáu, i archwilio tiroedd Eryri, Bannau Brycheiniog neu gymoedd y de, hedfan dros dir âr isel Bro Morgannwg, Sir Benfro a chalon Sir Drefaldwyn neu diroedd gwastad Môn, neu chwilio'r tir a'r môr am borthladdoedd, llongddrylliadau a chaerau pentir ar hyd glannau hardd ac amrywiol Cymru. Bydd tywydd llonydd yr haf yn gyfle arbennig i chwilio'n fanwl drwy'r dŵr clir a bas am rai cilometrau allan i'r môr.

Bydd lliwiau'r tir yn newid gyda'r tymhorau – o rew a heulwen isel y gaeaf i flagur a gwyrddlesni lliwgar y gwanwyn, ac ymlaen i liwiau mwy pŵl cynhaeaf yr haf a lliwiau dwfn yr hydref. Mewn blwyddyn, bydd niwl, llifogydd, eira a chysgodion yn newid y ffordd y caiff y dirwedd ei gweld a'i chofnodi, ac yn fodd i ddod o hyd i ragor eto o olion mewn caeau cyfarwydd ac ar hyd y bryniau.

Wales is a dramatic and surprising land to see from the air, hugely diverse in its regions and still offering considerable opportunity for archaeological discovery and exploration. Rising into the air on a clear day, the main peaks of Wales can be seen on far horizons; Pen y Fan, Cadair Idris and Snowdon, or the Berwyn to the north-east, rise triumphantly from the surrounding hills and mountains. Across the central parts of Wales the aerial archaeologist is presented with a rolling upland plateau, broken by deep valleys and escarpments. In an hour's direct flight one can reach most of its parts, although longer sorties away from home, along with the time required for detailed reconnaissance and observation within its many regions, may occasion a stop for fuel before returning to base.

Reconnaissance flights are carefully planned to exploit the distinct regional potentials of this fine land. Great valleys including the Tywi, Wye, Tanat, Dee, Mawddach, Dyfi and Ystwyth, long favoured by farmers and settlers from prehistoric times to the present, penetrate the hills and lead to long-traversed mountain passes. These parcel up the complex regions of Wales so that, weather permitting, one may explore mountain country in Snowdonia, the Brecon Beacons or the South Wales Valleys; work the lowland arable zones of the Vale of Glamorgan, Pembrokeshire, the Montgomeryshire heartlands or the flat lands of Anglesey; or pursue coastal and maritime subjects for ports, harbours, wrecks and promontory forts around Wales' beautiful and varied coastline, particularly when windless summer weather allows prospection through clear, shallow water for several kilometres offshore.

The colours of the land change with the seasons from the frost and low sunlight of winter, to blossom and vibrant greens of spring, to bleached harvest colours of summer and the deep hues of autumn. Fog, flood, snow and shadow are all captured in a full year, altering the way the landscape is perceived and recorded, thus allowing new discoveries still to be drawn from familiar fields and hills.

Ffigur 25. Ganol gaeaf mis Chwefror 2009, mae dau gopa enwog Bannau Brycheiniog, Corn Du (de) a Phen y Fan (chwith), wedi rhewi'n galed uwchlaw'r tir anial. Prin yw olion gweithgarwch pobl yma heblaw am olion y Cwar Mawr ar y gefnen yn y tu blaen (chwith) a llwybrau treuliedig a chrwydrol o'r hen fyd a'r oes fodern. Daeth gwaith cloddio ar garneddau copaon Corn Du a Phen y Fan yn gynnar yn y 1990au o hyd i olion claddedigaethau o'r Oes Efydd 4,000 o flynyddoedd yn ôl.

Figure 25. Hard-frozen in the deep winter of February 2009, the famous twin peaks of the Brecon Beacons, Corn Du (right) and Pen y Fan (left), preside over a bleak and barren upland landscape. Pock marks of the Cwar Mawr quarry on the foreground ridge, left, together with straggling lines of ancient and recent worn trackways, are among the few vestiges of human activity. Excavations on the summit cairns of Corn Du and Pen y Fan in the early 1990s discovered 4,000 year-old remnants of Bronze Age burials.

Ffigur 26. Yn y llun hwn o gaer bentir Bae Flimston, Castellmartin, gwelir lliwiau dwfn y trwch o laswellt ar ôl haf gwlyb 2007. I'r dde mae staciau Heligog yn rhan o'r gyfres wychaf yr olwg o glogwyni calchfaen ym Mhrydain. Yn y tu blaen, mae tair llinell amddiffynnol i'r fryngaer o'r Oes Haearn sydd wedi'i herydu gan y môr, ac mae'n bosibl mai'r mordwll dwfn, y 'crochan', oedd calon y gaer pan drigai pobl yno 'slawer dydd.

Figure 26. Lush grass following a wet summer in 2007 yields deep colours in this view of Flimston Bay promontory fort, Castlemartin, and the freestanding Elegug stacks to the right which form part of one of the finest stretches of limestone cliff scenery in Britain. The eroded Iron Age fort has three lines of defence in the foreground and a deep blow-hole, the 'cauldron', at its heart which was possibly extant when the fort was occupied in prehistory.

Ffigur 27. Oherwydd llifogydd yr haf ar fynyddoedd Cymru, bydd afonydd Hafren ac Efyrnwy'n gorlifo wrth eu cymer yn Crewgreen ar y ffin â Lloegr. Mae'r tiroedd isel ffrwythlon yma wedi'u hamaethu ers cyn cof a'r caeau'n frith o aneddiadau cynhanesyddol a gafodd eu gwastatáu wrth droi'r tir. Maent i'w gweld, bellach, fel olion cnydau yn yr haf. Ar Fynydd Breiddin, sydd â'i gopa'n codi ar y chwith yn y llun, ceir bryngaer o ddiwedd yr Oes Efydd a dechrau'r Oes Haearn. Yn ddiweddarach, torrodd Clawdd Offa ar draws y tiroedd gwastad yng nghanol y llun i greu ffin bendant am y tro cyntaf.

Figure 27. Summer floods in the Welsh mountains cause the rivers Severn and Vyrnwy to burst their banks at their confluence at Crewgreen on the border with England. The fertile lowlands here have long been farmed and the fields abound with plough-levelled prehistoric settlements visible as cropmarks in summer. They are overlooked by the Late Bronze and Iron Age hillfort of The Breiddin whose summit rises on the left of the picture. Later, Offa's Dyke cut across the flat lands in the centre of the picture establishing a clear border for the first time.

Ffigur 28.   Mae Llyn Tegid yn 5.6 cilometr (3.5 milltir) o hyd, a'i waelod yn y canol, lle mae'r ochrau yn disgyn bron yn syth, yn 42 metr o ddyfnder. Cafwyd chwedlau yma am foddi hen ddinas ac am anghenfil. Dyma'r llyn naturiol mwyaf yng Nghymru, ac yn gynnar yn y bedwaredd ganrif ar bymtheg cododd Thomas Telford lifddor (tua'r gwaelod ar y chwith) i godi lefel dŵr y llyn i hwyluso llif y dŵr ar Gamlas Ellesmere. Mae'r llun, a dynnwyd ar brynhawn rhewllyd ym mis Tachwedd 2005, wedi dal digwyddiad prin, sef niwl rhewllyd yn ymffurfio ar draws wyneb y llyn ac yn llenwi'r dyffryn rhwng Llanuwchllyn a'r Bala (yn y tu blaen).

Figure 28.   Sinking to 42 metres at its centre, with almost sheer sides in places, the 5.6 kilometre (3.5 mile) long Llyn Tegid or Bala Lake has attracted its share of legends of drowned cities and water monsters. The largest natural lake in Wales, the level of Llyn Tegid was artificially raised in the early nineteenth century by Thomas Telford to support the flow of the Ellesmere Canal via a sluice (seen here lower left). Photographed in November 2005 on a frosty afternoon, the camera captures a rare phenomenon with freezing fog forming across the lake's surface infilling the valley between Llanuwchllyn and Bala (foreground).

Ffigur 29 (uchod). Wrth edrych tua'r de-ddwyrain o Gastell Cricieth (ar y graig yn y tu blaen), mae dyfroedd glaswyrdd Bae Tremadog yn llifo heibio'r Graig Ddu, traeth Morfa Bychan (chwith) ac aber Afon Glaslyn, draw i dwyni tywod Morfa Harlech. Ymhellach draw, ger Llanbedr (uchod, de), mae cyn-ganolfan y Llu Awyr, a leolwyd yn gelfydd ar lain o dir (Ynys Mochras) sy'n ymwthio i'r môr. Mae'r creigiau a'r riffiau sydd i'w gweld drwy ddŵr y glannau yn dangos cymaint o botensial sydd i chwilio'r môr a'r tir rhynglanwol am olion coredau pysgod a llongddrylliadau ar ddiwrnodau llonydd yn yr haf.

Figure 29 (above). Looking south-east from Criccieth Castle (coastal crag, foreground), the turquoise waters of Tremadog Bay sweep past Black Rock and Morfa Bychan (left) and the mouth of the Afon Glaslyn, to the coastal dunes at Morfa Harlech. In the far distance (top right) is the former RAF airbase of Llanbedr, which is expertly sited on a tongue of land (Shell Island) jutting out to sea. Rocks and reefs can be seen through the water at the coast edge, illustrating the great potential for intertidal and maritime reconnaissance for fish traps and wrecks on still summer days.

Ffigur 30 (de). Llun o oes ddiflanedig. Crynhodd casgliad rhyfeddol o ddiwydiannau ger Cei Mostyn yn Sir y Fflint. Tynnwyd y llun hwn ym 1934, ac ynddo mae pwll glo, gwaith haearn, gwaith copr, melin lifio a gwaith olew, a rheilffyrdd a llongau'n gwasanaethu'r cyfan. Am flynyddoedd maith fe arllwyswyd slag a gwastraff pyllau glo a gweithfeydd eraill yma i adfer tir o aber afon Dyfrdwy a chodi porthladd modern Mostyn arno. Heddiw, diben gwahanol sydd i'r cei, sef lansio tyrbinau gwynt i'w gosod allan yn y môr mawr (gweler Ffigur 155).

Figure 30 (right). A scene from a vanished age. Mostyn Quay, Flintshire, saw a remarkable concentration of industry in one small area. This photograph from 1934 shows a colliery, ironworks, copper works, saw mill and an oil works, all served by rail and with access to seaborne transport. Tipping on the foreshore of slag, colliery and other waste over many years created a large area reclaimed from the Dee estuary upon which the modern Port of Mostyn was constructed. Today the quay serves a different purpose: as a point of embarkation for off-shore wind turbines (see Figure 155).

Ffigur 31. Dyffryn Dyfrdwy i'r gorllewin o Langollen. Llun panoramig sy'n dangos cwrs troellog afon Dyfrdwy, sy'n rhedeg o'r chwith i'r dde, a Rhaeadr y Bedol, sef cored grom a godwyd gan Telford i fwydo dŵr i gamlas Llangollen, yn y canol. Mae'r llun yn dangos y gwrthgyferbyniad rhwng llawr gwlad a'r uwchdir. Ymgartrefodd pobl ar lawr ffrwythlon y dyffryn ganrifoedd maith yn ôl, ac wrth y carafannau (canol, de) mae abaty Sistersaidd Glyn y Groes (Glynegwestl). Yn ystod yr Oesoedd Canol, defnyddid pennau'r bryniau a'r tir mynydd i dyfu cnydau a magu cwningod, ond erbyn y bedwaredd ganrif ar bymtheg yr oedd diwydianwyr wrthi'n ecsbloetio'r gweundir hwnnw drwy agor chwareli llechi mawr newydd ar hyd ymylon Bwlch yr Oernant yn y pellter canol.

Figure 31. The Dee valley west of Llangollen. A panoramic landscape showing the winding course of the Dee, running left to right and Telford's curving Llangollen canal feeder weir, the Horseshoe Falls, at centre. The view illustrates the contrast between valley and upland. The fertile valley floor was long settled; the caravans, centre right, mark the Cistercian abbey at Valle Crucis. During the Middle Ages the hilltops and mountain were used for the cultivation of crops and rearing rabbits, but by the nineteenth century industrialists were exploiting the same moorland for new and extensive slate quarries seen bordering the Horseshoe Pass in the centre distance.

Ffigur 32. Yn y canol rhwng yr eira ar ben y mynyddoedd o boptu, mae cyn-gymuned ddiwydiannol enwog cwm Rhondda Fawr wrthi'n goroesi gaeaf caled. Llun yw hwn o'r cwm gan edrych arno tua'r de-ddwyrain dros ddibyn Pen Pych i Dreherbert, Ynys-wen a Threorci. Canlyniad clirio'r hen domenni glo yw'r terasau artiffisial a ddelir gan yr heulwen ym Mlaen-cwm (pell de). Er i'r gwaith hwnnw ddileu olion y dreftadaeth ddiwydiannol, mae ef wedi gwella rhagor ar y dirwedd a'r amgylchedd a greithiwyd cyhyd gan y diwydiant glo. Cymharer ef â Ffigur 91.

Figure 32. Caught between snow-clad mountains the great former industrial community of Rhondda Fawr, looking south-east over the bluff of Pen Pych to Treherbert, Ynyswen and Treorchy, survives a hard winter. Clearance of former coal tips, evident in the artificial terraces caught by sunlight in Blaencwm, far right, has removed a physical legacy of industrial heritage; yet this process further improves the landscape and environment so long scarred by the mining industry. Compare with Figure 91.

Ffigur 34 (de). Oherwydd y fasnach forol, mae Casnewydd yn ne-ddwyrain Cymru'n ganolfan fasnachol ers yr Oesoedd Canol. Ers tua diwedd y bedwaredd ganrif ar ddeg, yr oedd y ceiau a'r glanfeydd wrth y castell (canol, de) yn rheoli man croesi'r afon. Er mai ar hap y cafwyd hyd i long o'r bymthegfed ganrif adeg codi Theatr newydd Glanyrafon yng Nghasnewydd yn 2002, dangosodd hynny gystal yw'r dystiolaeth a all ddal i oroesi mewn mwd y llanw a'r trai. Yn y bedwaredd ganrif ar bymtheg, fe ehangodd y dref yn gyflym yn sgil allforio glo ohoni. Ym 1799 agorwyd Camlas Sir Fynwy ac mae hi i'w gweld yma ym 1920 ochr yn ochr ag Afon Wysg. Drwy ddociau Casnewydd, felly, y llifodd holl gynnyrch haearn a glo Sir Fynwy o gymoedd Ebwy, Sirhywi ac Afon Llwd (gweler Ffigur 143).

Figure 34 (right). Maritime trade has made Newport in south-east Wales a commercial centre since the Middle Ages. By the late fourteenth century, the wharves and jetties of a major trading port clustered around the castle (centre right), which controlled the river crossing. The chance discovery of the fifteenth-century Newport Ship during construction of the new Riverfront Theatre in 2002 showed the quality of evidence which may yet survive in tidal mud. In the nineteenth century coal exports enabled the town to expand rapidly. The opening of the Monmouthshire Canal in 1799, still visible here in 1920 alongside the River Usk, made Newport docks the outlet for all iron and coal production of the Monmouthshire Valleys of Ebbw, Sirhowy and Afon Lwyd (see Figure 143).

Ffigur 33. Tirwedd ddiwydiannol a adferwyd i'w chyflwr cysefin: ehangder browngoch Cors Caron, Ceredigion, yn heulwen y gaeaf. Olion canrifoedd o dorri mawn â llaw i gael tanwydd yw'r amrywiol doriadau yn y tu blaen; mecaneiddiwyd y broses honno am gyfnod byr wedi'r Ail Ryfel Byd. Gwarchodfa Natur Genedlaethol dan ofal Cyngor Cefn Gwlad Cymru yw Cors Caron erbyn hyn.

Figure 33. An industrial landscape returned to nature: the broad, red-brown expanse of Cors Caron/Tregaron Bog, Ceredigion, lit by winter sunlight. Myriad cuttings in the foreground mark centuries of hand peat cutting for fuel, briefly mechanised after the Second World War. Cors Caron is now a National Nature Reserve cared for by the Countryside Council for Wales.

Ffigur 35. Ar draws bryniau dwyreiniol Mynydd Epynt yn ne Powys mae'r blociau o goedwig hwnt ac yma'n diwallu'r angen i hyfforddi milwyr. Meddiannwyd y tir ym 1939 a'i droi'n faes tanio. Mae'r ffyrdd a'r isadeiledd newydd yn perthyn i gyfleuster hyfforddi Fferm 7 (yn y tu blaen), ac mae Llyn Login i'w weld yn y pellter ar y chwith. I'r de ohono mae Pentre Dolau Honddu a blaenddyfroedd Dyffryn Honddu, a'r tu hwnt iddynt mae copaon Bannau Brycheiniog.

Figure 35. Isolated blocks of forestry fulfil a military training need across the eastern hills of Mynydd Epynt in southern Powys. Requisitioned as a firing range in 1939, new roads and infrastructure mark a training facility, Farm 7, in the foreground; while Llyn Login can be seen at far left. The view looks due south towards Pentre Dolau Honddu and the headwaters of the Honddu Valley, with the high peaks of the Brecon Beacons beyond.

Ffigur 36. Mae chwarel lechi anghyfannedd Gorseddau, a fu ar waith yn y bedwaredd ganrif ar bymtheg, yn edrych i lawr ar hyd cwm llydan Cwm Ystradllyn. Yn y gogledd-ddwyrain mae inclein yn croesi ei thomenni, ac i'r de-ddwyrain mae tomenni a oedd yn newydd pan ddaeth y gwaith i ben. O olwg y chwarelwyr ar y brig, ond i'w weld ar draws bryn garw Bryn Banog, mae copa'r Wyddfa'n codi i'r cymylau yn y pellter ar y dde. Cymharer â Ffigur 93.

Figure 36. With its north-west tips full and crossed by an incline, and new tips to the south-east only just begun when quarrying ceased, the remote nineteenth-century Gorseddau slate quarry stands abandoned, looking down the broad Cwm Ystradllyn. Out of sight to contemporary quarrymen, but visible across the jagged hill of Bryn Banog, is the cloud-scudded summit of Snowdon in the right distance. Compare with Figure 93.

Ffigur 37. Caer Belan a'i doc (a godwyd rhwng 1824 a 1826) sy'n gwarchod pen gorllewinol Afon Menai rhwng tir mawr Gwynedd ac Ynys Môn. Mae'r ddaearyddiaeth yn y llun yn gamarweiniol; ar y chwith y mae Môr Iwerddon, ac mae'r barrau sy'n troi tuag i mewn yn amgáu dyfroedd tawelach, ynghyd â'r angorfa ar y dde, yn cynnig encilfeydd dros dro rhag ffyrnigrwydd llanw a thrai Afon Menai a'i llu o longddrylliadau.

Figure 37. Fort Belan and its nineteenth-century dock (constructed between 1824 and 1826) guard the western mouth of the Menai Strait between mainland Gwynedd and the Isle of Anglesey. The geography in the view is misleading; the Irish Sea lies to the left, with the in-turned bars enclosing quieter waters and anchorage to the right, temporary refuges from the fierce tidal waters of the Menai Strait where many wrecks lie.

Ffigur 38. Wrth i'r awyren ddychwelyd adref o'i thaith i'r gogledd yn y gaeaf, mae'n hedfan i'r de o gopa un o fynyddoedd y Berwyn, Moel Sych – sy'n 827 o fetrau o uchder – wrth i lif y cymylau ei ddal adeg y machlud.

Figure 38. Returning home from winter reconnaissance in north Wales the aircraft passes to the south of the 827 metre peak of Moel Sych in the Berwyn range, caught by rolling clouds in the fading light of sunset.

Maes a Fferm

Field and Farm

Figure 39. On the watershed between the Afon Ffrydlas and the Afon Gam, 3 kilometres north-east of Bethesda and at the junction of many old paths, lies the Gyrn multicellular sheepfold. One of a number of similar local folds, there is no clear record of when these complicated structures originated. Its size and complexity attest to construction and continuing maintenance by generations of farmers from at least the eighteenth century. Sheep belonging to many farms and sharing a common sheepwalk would be gathered in through the funnelled entrance and sorted, on occasions such as shearing, into the small cells belonging to particular farms.

Cylch y flwyddyn ffermio sy'n rheoli cefn gwlad Cymru: o'r hau yn y gaeaf a'r wyna yn y gwanwyn i dorri silwair a medi'r cynhaeaf yn yr haf. Hwnt ac yma cewch chi dai, buarthau a chaeau ffermydd heddiw yn cydfodoli â'u rhagflaenwyr o'r Oes Haearn. Amlygant y traddodiad di-dor, bron, o amaethu sydd wedi para am dair mil o flynyddoedd a rhagor ar lethrau bryniau a chymoedd Cymru. Islaw'r awyren, ac i ffwrdd o'r copaon uchaf a'r corstiroedd, tir amaethyddol yw'r rhan fwyaf o dir Cymru. Lle mae chwareli ac olion diwydiannol yn tra-arglwyddiaethu ar y fro, fe gydfodolant â chaeau a bythynnod y cenedlaethau cynt – neu maent wedi'u disodli. Lle mae dinasoedd wedi ymledu, gall darnau o dir agored neu dir comin ddal i gadw olion caeau o'r hen oes. O dan y trwch o goed conwydd sy'n gorchuddio cymaint o uwchdiroedd Cymru, mae archaeolegwyr wrthi'n dod o hyd i hen gaeau a ffermydd anghyfannedd a gaiff eu diogelu mewn llennyrch newydd gan reolwyr y coedwigoedd.

Bydd ffurfiau'r caeau'n adrodd eu hanes eu hunain. Patrwm o'r hen oes – ac un sydd efallai'n bedair mil o flynyddoedd oed – sydd i'r waliau bach crwm sy'n crwydro argloddiau'r caeau ac yn cropian ar draws llethrau bryniau Sir Benfro a Gwynedd. Mewn oesoedd diweddarach, codwyd waliau cerrig a ffensys ar sylfeini cynhanesyddol gan sicrhau parhad daliadau tir hynafol o dan berchnogion newydd. Yn y de a'r gorllewin, ceir bod gwrthgloddiau ac olion cnydau cyfundrefnau caeau Rhufeinig wedi goroesi yn ymyl hen drefi Rhufeinig Caer-went a'r Bont-faen. Ailwampiwyd y dirwedd gan gyfundrefnau'r arglwyddi Normanaidd o leiniau caeau ac yna gan y chwyldroadau olynol mewn arferion ffermio a pherchnogaeth tir a ddigwyddodd wedi hynny. Heddiw, cylchoedd y flwyddyn amaethu a phatrymau sychder sy'n pennu'r tymhorau blynyddol pryd y bydd yr archaeolegydd-o'r-awyr yn chwilio am olion cnydau.

Rural Wales is governed by the cycles of the farming year: from winter sowing and spring lambing to the cutting of silage and the summer harvest. In places houses, yards and fields of present-day farms exist alongside their Iron Age forebears showing an almost continuous tradition of farming on Welsh hillslopes and valley sides over three thousand years or more. Below the aircraft, and away from the highest peaks and moors, Wales is predominantly a farmed land. Where quarries and industrial remains dominate the scene they invariably coexist with, or now obscure, wider-spreading fields and cottages of earlier generations. Where cities have spread, patches of open ground or common land may yet preserve traces of past fields. Beneath the impenetrable conifer forestry, which covers much of upland Wales, old fields and ruined farmsteads are now being rediscovered by archaeologists, and preserved by forest managers in new clearings.

The shapes of fields tell their own stories. Tiny, curved, and embanked field walls, which wander and crawl across the hillslopes of Pembrokeshire and Gwynedd have their origins in prehistory, and may have been first laid out four thousand years ago. More recent stone walls and fences spring from prehistoric foundations and so perpetuate age-old land holdings under new owners. In south and west Wales, earthworks and cropmarks of Roman field systems survive close to former Roman towns at Caerwent and Cowbridge. The landscape was replanned by Norman lords with their strip field systems, and again by successive revolutions in farming practice and land ownership in more recent times. Today the cycles of the farming year and patterns of drought shape the annual seasons of cropmark discovery for the aerial archaeologist.

Ffigur 40 (chwith). Bryniau sy'n frith o gaeau a ffermydd cynhanesyddol yw nodwedd llawer o uwchdiroedd arfordirol y gogledd-orllewin. Saif bryngaer Dinas ar graig gron uwchlaw Llanfairfechan a'r môr. Y tu mewn i'r gaer ceir cynifer â phedwar cwt ar ddeg, a rhai ohonynt yn gorwedd dros olion prin hen ragfuriau o gerrig. Ar y drum yn y tu blaen ceir cylchoedd bach o gytiau cynhanesyddol uwchlaw terasau'r caeau, ynghyd â sylfeini llai amlwg llwyfannau tai canoloesol. Pan gloddiwyd y gaer ym 1925 cafwyd hyd i ddarnau o feini melin a ddefnyddid i falu gwenith.

Figure 40 (left). Hills crowded with prehistoric fields and farms, characterise much of the north-west coastal uplands of Wales. Dinas hillfort occupies a rounded crag overlooking Llanfairfechan with views to the sea. Up to fourteen huts crowd the interior of the fort, partly overlying the robbed remains of former stone ramparts. On the saddle of land in the foreground, small circles of prehistoric huts overlook terraced fields, together with less visible footings of medieval house platforms. Excavations of the fort in 1925 yielded fragments of quern stones for grinding corn.

Ffigur 41 (de). Uwchlaw'r Ogof yn Abergwyngregyn, gwta 1.5 cilometr o'r arfordir, mae hi fel petai llinellau tonnog dwfn y terasau cynhanesyddol (uchod, de) a'r amaethu grwn a rhych sy'n dyddio, mae'n debyg, o'r Oesoedd Canol, yn llifo i lawr llethrau gorllewinol Ffridd Ddu, a does dim modd eu gweld o'r awyr ond yng ngoleuni isel a garw'r gaeaf. Os yw tir y bryniau ar yr arfordir heb ei droi hyd heddiw ac os yw anifeiliaid yn pori'r uwchdir, mae modd diogelu hanes miloedd o flynyddoedd o amaethu.

Figure 41 (right). Invisible from the air, except in low, harsh winter light, the deeply ingrained sinuous lines of prehistoric field terraces (upper right) and ridge and furrow cultivation, probably dating from the Middle Ages, seem to flow down the western slopes of Ffridd Ddu above Yr Ogof, Abergwyngregyn, barely 1.5 kilometres from the coast. Where these coastal hills have been spared from modern ploughing, and are used instead for upland grazing, thousands of years of farming history can be preserved.

Ffigur 42. Menter amaethu optimistaidd a aeth rhwng y cŵn a'r brain ers llawer dydd. Mae'n debyg mai man cychwyn y fferm hon ar uwchdir Carn Afr ar lethrau deheuol Mynyddoedd y Preseli yn Sir Benfro oedd y cae bach onglog yn y canol, ac yn y padog sgwâr islaw ceir sylfeini tŷ a godwyd ger ffynnon ar ochr y bryn. Yn ddiweddarach, crëwyd chwe chae newydd mewn patrwm celfydd o amgylch y fferm wreiddiol. Rhaid mai gwaith anodd, erioed, oedd trin y tir hwn. Tua diwedd y bedwaredd ganrif ar bymtheg rhoddwyd y gorau i'r fferm, a thir pori garw yw'r caeau hyn unwaith eto.

Figure 42. An optimistic farming enterprise long since abandoned to the elements. This upland farm at Carn Afr on the southern slopes of the Preseli hills, Pembrokeshire, probably began as the small angular field at centre, with a square paddock below it containing footings of a house established alongside a hillside spring. A later phase saw a smart grid of six new fields laid out around the original farm. The land here must always have been difficult to cultivate. The farm was abandoned by the late nineteenth century and the fields have now reverted to rough grazing.

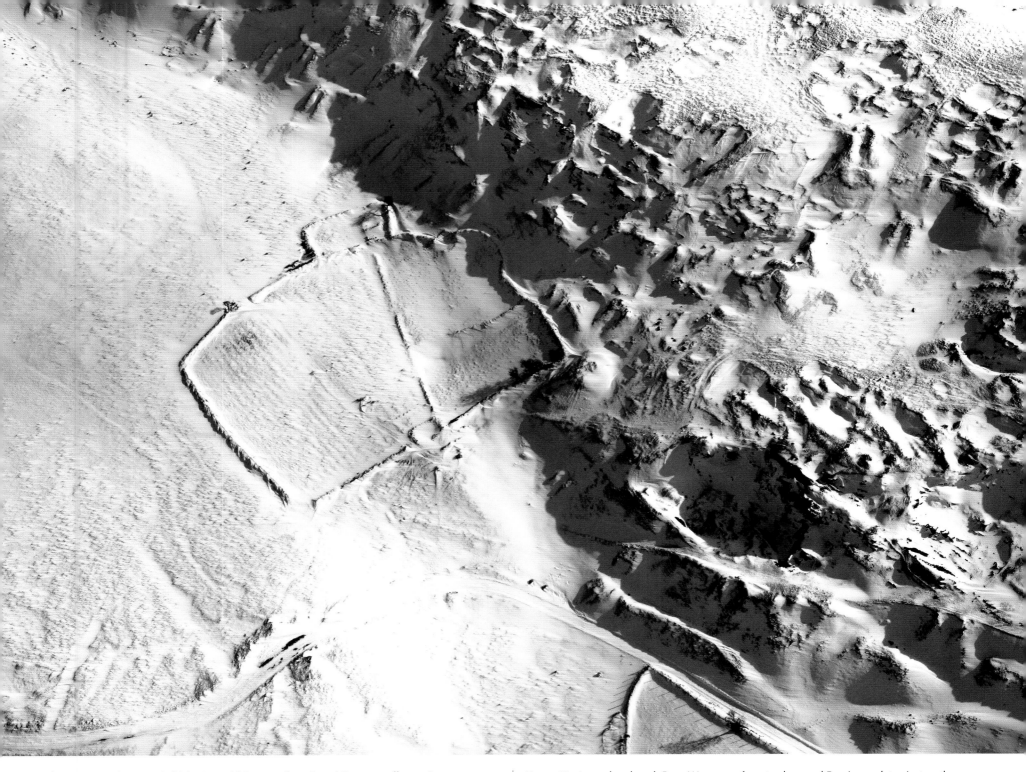

Ffigur 43. Ar odreon gogleddol y Mynydd Du mae fferm Banc Wernwgan, fferm sy'n anghyfannedd ers tro byd. Bryniau yw'r enw arni ar fapiau'r Arolwg Ordnans o Sir Gaerfyrddin tua diwedd y bedwaredd ganrif ar bymtheg. O edrych ar y llun ohoni dan eira, mae modd gweld argloddiau'r llociau ac amlinelliadau'r adeiladau cysylltiedig yn glir. Mae'r grynnau yn y llociau mwyaf yn cydredeg â'r banciau o rwbel dan dyweirch. Ar y llethrau uwchlaw'r olion ceir amryw byd o fân gwarrau calch ac mae'n debyg i'r fferm fod â chysylltiadau agos â'r cwarrau a'r diwydiant calch. Mae olion odynnau calch i'w gweld yno hyd heddiw.

Figure 43. Long abandoned, Banc Wernwgan farmstead, named Bryniau on late nineteenth-century Ordnance Survey maps of Carmarthenshire, sits within the northern foothills of the Black Mountain. Photographed here under snow, the banks of the enclosures and outlines of associated buildings can be seen clearly. Cultivation ridges in the largest enclosures run parallel to the turf-covered, rubble banks. On the slopes above are extensive lime workings. It is likely that the farmstead had close associations with the lime workings and its industry. Remnants of limekilns are still evident today.

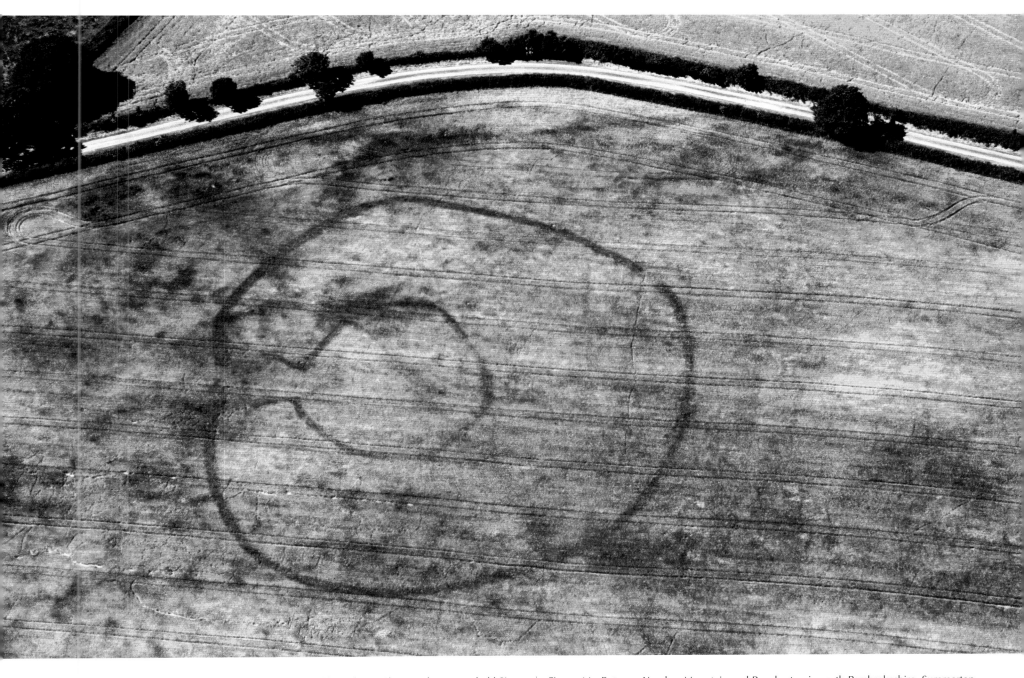

Ffigur 44. Mae Gwersyll Summerton (chwith) rhwng Mynydd Ysgubor a Chas-mael yng ngogledd Sir Benfro yn un o rai cannoedd o ffermydd amddiffynedig a bryngaerau o'r Oes Haearn yn y sir ac yn dystiolaeth bod cryn dipyn o bobl ddigon prysur yn byw yno cyn dyfodiad y Rhufeiniaid. Mae ei ffurf yn nodweddiadol o grŵp llai o ffermydd amddiffynedig 'cydganol'; fe'i datblygwyd, mae'n debyg, i greu lloc mewnol diogel i godi tai crwn ac i anheddu ynddo, a lloc allanol lle câi'r anifeiliaid bori pan na fyddent yn pori ar y bryniau agored gerllaw. Ar draws Afon Teifi yn ne Ceredigion ceir rhagor o enghreifftiau, ond diflannodd y mwyafrif ohonynt oherwydd troi'r tir. Un o'r rhai gwychaf yw Cawrence (de), sydd i'w weld bellach fel dim ond ôl cnwd wrth i farlys aeddfedu, ond mae'n debyg iawn i Wersyll Summerton. Serch troi'r tir yno, mae modd gweld manylion yr adeiladu, megis bod clwydi yno ychydig y tu mewn i'r brif fynedfa yn y chwith i gyrraedd y lloc allanol, ynghyd â 'drws cefn' syml yn y ffos derfyn uchod ar y dde.

Figure 44. Between Ysgubor Mountain and Puncheston in north Pembrokeshire, Summerton Camp (left) is one of several hundred Iron Age defended farms and hillforts in the county, attesting to a significant and vigorous population in pre-Roman times. Its form is characteristic of a smaller group of 'concentric' defended farms probably developed to allow a secure inner enclosure for roundhouses and settlement, and an outer enclosure reserved for stock when not grazing the open hill pasture nearby. Across the River Teifi in south Ceredigion are further examples, mostly ploughed away. One of the finest is Cawrence (right), now visible only as a cropmark in ripening barley but very similar to Summerton Camp. Being plough-levelled, constructional details are visible like the provision of gates just inside the main entrance at left, allowing access into the outer enclosure, together with a simple 'back door' in the perimeter ditch at upper right.

Ffigur 45. Ar dir pori amgaeedig yr uwchdir yn Nhroed y Rhiw yng Ngheredigion, mae ffurf y caeau a'r tai hirion petryal yn dangos lleoliad y ffermydd canoloesol bach yng nghanol a de'r ffrâm. Cartrefi ffermwyr cyffredin oedd yno gynt. Uwchlaw, mae adeiladwaith go wahanol (uchod, chwith) ar fryncyn sych. Mae sylfeini'r adeilad petryal yn 50 metr o hyd a'i faint yn awgrymu mai ystâd fawr a'i cododd sef, mae'n debyg, ystâd Abaty Sistersaidd Ystrad Fflur sydd 2 gilometr i'r gorllewin (gweler Ffigur 134). Mae'n fwy na thebyg iddo fod yn gorlan neu'n ffald fynachaidd lle cedwid defaid dros y gaeaf. Fel rhan o'r Prosiect ehangach ar Ystrad Fflur, gwnaeth y Comisiwn Brenhinol a Phrifysgol Llanbedr Pont Steffan arolwg ac astudiaeth o'r cyfuniad hwn o ffermydd ac adeiladau canoloesol.

Figure 45. On enclosed upland pasture at Troed y Rhiw in Ceredigion, curving fields and rectangular long houses show the positions of small medieval farmsteads in the centre and right of the frame. Long abandoned, these were the homes of ordinary farmers. They are overlooked by quite a different structure (upper left). Here, on a dry knoll, is a 50 metre-long rectangular building foundation. Its sheer scale suggests it was erected by a large estate, probably the Cistercian Abbey of Strata Florida 2 kilometres to the west (see Figure 134). It was probably a monastic sheep house (sheepcote), used for over-wintering sheep. This complex of medieval farms and buildings was surveyed and studied by the Royal Commission and Lampeter University as part of the wider Strata Florida Project.

Ffigur 46. Ryw filltir o arfordir y de ger Sain Dunwyd dyma faenor Sistersaidd yr As Fawr ym Mro Morgannwg o dan rew'r bore. Fe'i sefydlwyd tua 1130 gan Richard de Granville a bu yma tan 1533. O fewn y lloc mawr ceir adfeilion yr ysgubor ddegwm (yn y cysgodion ar y chwith), y colomendy sydd wedi'i restru'n adeilad gradd II (mae'n taflu cysgod hir yn y canol), a mân wrthgloddiau sylfeini adeiladau eraill a thracffyrdd.

Figure 46. The Cistercian grange of Monknash in the Vale of Glamorgan, shown here under a hard morning frost, lies about a mile from the south coast near St Donats. The grange was founded around 1130 by Richard de Granville and continued until 1533. Within the great enclosure are the ruins of the tithe barn (in shadows, left) and the grade II listed dovecote (casting a long shadow at centre), as well as other subtle earthworks of building foundations and trackways.

Ffigur 47. Mae patrymau dal a pherchen tir wedi newid drwy'r oesoedd. (Chwith) Yn yr Oesoedd Canol, efallai, sefydlodd ffermwyr anheddiad bach o dai hirion a chwningaroedd neu 'domenni clustog' ar y llethrau cyfagos yng nghwm afon Duhonwy ar yr ucheldiroedd llwm uwchlaw Llanwrtyd ar ymylon Mynydd Epynt. Ym mhen deheuol (ar y chwith yma) y cwt sydd wedi'i ddiogelu orau (petryal bach yng nghanol y ffrâm) mae'r simnai wedi cwympo. Ni nododd arolygwyr cynnar yr Arolwg Ordnans mo'r cytiau hyn, ond cafwyd hyd iddynt wrth i'r Comisiwn Brenhinol fapio awyrluniau fertigol yn y 1990au. Heddiw, milwyr sy'n ymarfer yma a'r Ystadau Amddiffyn sy'n rheoli Ardal Hyfforddi Pontsenni. (De) Go brin y byddai'r ffermwyr Brythonig-Rufeinig a aeth ati i godi tai a chreu caeau petryal yma ar gomin Dinas Powys ger Caerdydd tua diwedd cyfnod y Rhufeiniaid yn adnabod y dirwedd fodern hon. Golau isel y gaeaf sy'n amlygu mân wrthgloddiau eu hanheddiad hynafol. Ar hap yn unig y mae'r gwrthgloddiau prin hyn wedi goroesi a chael eu cofrestru'n heneb, a hynny serch holl boblogaeth y de a'r holl amaethu ar ei dirwedd.

Figure 47. Patterns of land holding and ownership have changed over time. (Left) Perhaps in the Middle Ages farmers established a small longhouse settlement, with artificial rabbit warrens or 'pillow mounds' on nearby slopes, in the minor stream valley of the Duhonw river in the bleak uplands above Llanwrtyd Wells on the edge of Mynydd Epynt. The best-preserved hut (small rectangle, centre frame) has a collapsed chimney at its southern (here left-hand) end. Unmapped by early Ordnance Survey surveyors the huts were discovered during air photo mapping by the Royal Commission in the 1990s, from vertical air survey photographs. Today soldiers train here, within the Sennybridge Training Area managed by Defence Estates. (Right) This modern landscape would be unrecognisable to the Romano-British farmers who established houses and rectangular fields here on Dinas Powys common, near Cardiff, in late-Roman times. Low winter light throws the slight banks of their ancient settlement into relief. Now a scheduled ancient monument, these rare earthworks have survived within the crowded, cultivated landscape of south Wales by extraordinary chance.

Ffigur 48 (isod). Mae'r traeniau tir o'r bedwaredd ganrif ar bymtheg yn amlwg yn y llun hwn o Wersyll Pentre yn Sir Drefaldwyn yn y gaeaf. Yma, mae'r traeniau cyfochrog a disgybledig yn y caeau wedi torri ar draws bryngaer gydganol anarferol o gymhleth o'r Oes Haearn. Er i'r rhagfuriau cylchog amgáu gofod bach, yr oeddent yn fawr ac yn codi bob ochr i lwybr mynediad mwyfwy cul ar y dde. Does wybod a fu'r rhagfuriau erioed yn uchel iawn; efallai iddynt fod yn sylfeini cadarn i amddiffynfeydd o goed. Efallai i sylfaenwyr y gaer ddefnyddio ac ehangu llygad dwfn y ffynnon (y pwll tywyll y tu hwnt i'r gaer).

Ffigur 49 (de). I'r de o blasty Halchdyn, a godwyd yn yr ail ganrif ar bymtheg rhwng Bryn Wood (brig) a Lee's Wood (gwaelod) yng nghymuned Hanmer ym Mwrdeistref Sirol Wrecsam, mae llain fawr a hanesyddol o rwn a rhych wedi goroesi ar dir pori, a hwnt ac yma arni ceir pyllau clai. Am na throwyd tir y fro, fe gadwyd llu o dirweddau o'r fath bron yn gyfan o'r Oesoedd Canol a chyfnodau diweddarach.

Figure 48 (below). The tenacity of nineteenth-century land drainage is evident in this winter view of Pentre Camp, Montgomeryshire, where an unusually complex concentric Iron Age hillfort has been cut across by disciplined, parallel field drains. Although enclosing a small space, the circular ramparts were grand and flanked a narrowing entrance passage on the right. Whether the ramparts ever stood very high is uncertain; they may have provided firm foundations for timber defences. A deep spring head (dark pool, beyond fort) may have been used and enlarged by the founders of the fort.

Figure 49 (right). South of the seventeenth-century Halghton Hall in Hanmer community, Wrexham County Borough, caught between Bryn Wood (top) and Lee's Wood (bottom) a great sweep of historic ridge and furrow survives in pasture, punctuated by marl pits. The lack of modern arable cultivation in the district has preserved, largely intact, many such farming landscapes of the Middle Ages and later.

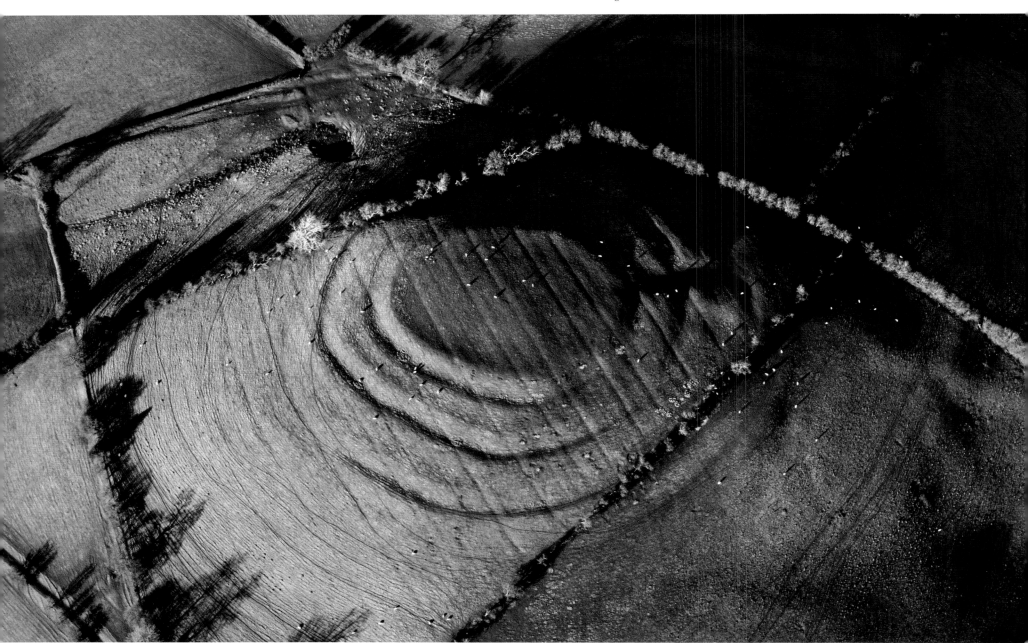

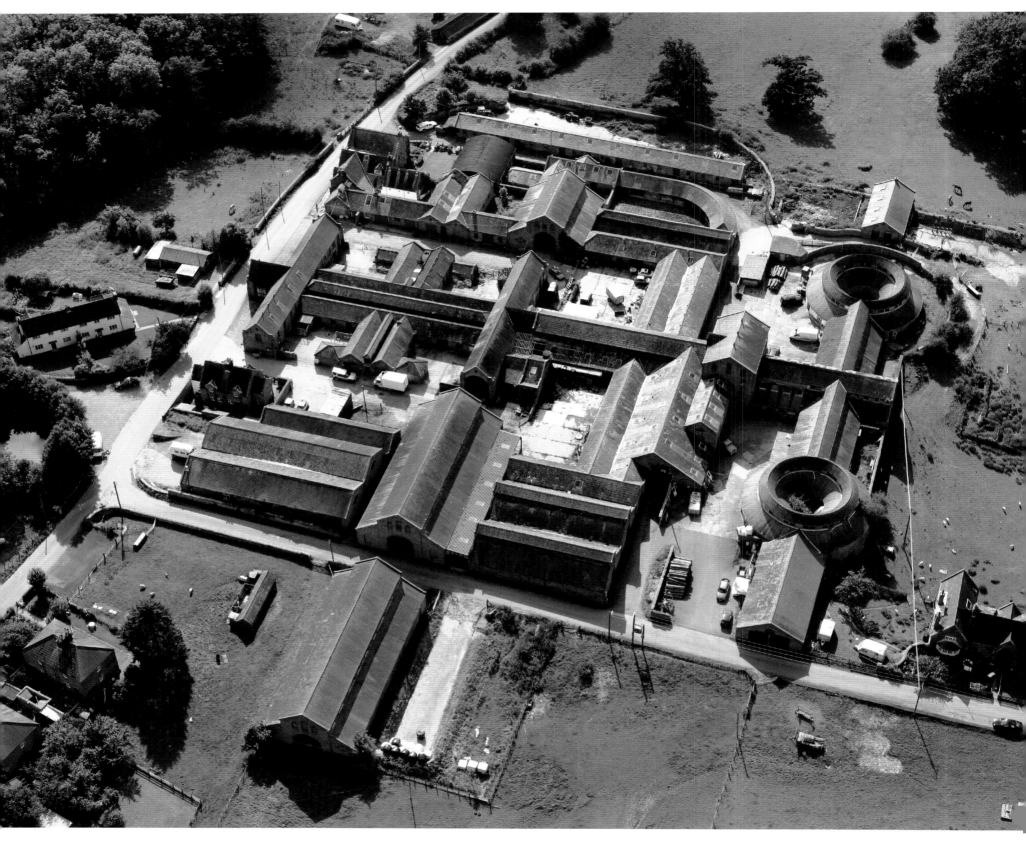

Figure 50. The shape of modern farming. Left: state of the art in its day, Leighton Farm (Montgomeryshire) is an extensive complex of buildings forming a 'model' farm dating from 1848. Arranged in a square plan around a central threshing barn, with hay and fodder storage barns either side of it, these main buildings were aligned and linked by a broad gauge railway, the ultimate mechanisation of the farming process. Most striking were the circular pig and sheep houses (right), designed to allow slurry to drain into central pits for collection and redistribution for manuring.

Not snow, but lime. This summer field near Welshpool with few trees, and fewer hedges, shows the impact of increasing mechanisation of the food production process during the twentieth and twenty-first centuries. Larger and more open fields have reshaped the farming landscape of earlier times.

Ffigur 50. Amaethu yn yr oes fodern. Chwith: Fferm 'fodel' yw Leighton Farm yn Sir Drefaldwyn a'i chasgliad helaeth o adeiladau. Fe'i codwyd o 1848 ymlaen gan ddilyn arferion amaethu mwyaf blaenllaw'r oes. Mae iddi gynllun sgwâr o amgylch ysgubor ddyrnu ganolog, a cheir ysguboriau bob ochr iddi i gadw gwair a phorthiant ynddynt. Codwyd y prif adeiladau mewn llinell, a rhedai rheilffordd lydan rhyngddynt. Dyma'r mecaneiddio eithaf ar y broses amaethu. Yr elfennau mwyaf trawiadol oedd y tai crwn i gadw moch a defaid ynddynt (de). Llifai'r biswail ohonynt i byllau canolog i'w gasglu a'i ddefnyddio'n wrtaith.

Nid eira, ond calch. Mae'r prinder coed, a phrinder mwy fyth o berthi, ar y cae hwn yn yr haf ger y Trallwng yn dangos effaith y mecaneiddio cynyddol ar gynhyrchu bwyd yn yr ugeinfed ganrif a'r unfed ganrif ar hugain. Drwy greu caeau mwy o faint a mwy agored, trawsnewidiwyd tirwedd amaethu'r oesoedd cynt.

Ffigur 51 (uchod). Ar daith hedfan gan y Comisiwn Brenhinol yn 2007 y sylwyd ar olion trawiadol cored bysgod o goed ar ffurf 'V' ger aber afon Teifi, Sir Benfro, wrth i'r tywod symud rhwng y llanw a'r trai. Fisoedd yn ddiweddarach, cafodd y safle sylw mawr yn y wasg Brydeinig am fod modd ei weld ar yr awyrluniau fertigol newydd a lwythwyd i Google Earth. Mae'r gored yn rhyw 130 o fetrau o hyd, a dangosodd gwaith deifio Dr Ziggy Otto iddi gael ei chodi o byst unigol o goed. Hon yw un o'r coredau pysgod mwyaf ar arfordir y gorllewin, ac efallai iddi gael ei chodi yn yr Oesoedd Canol ac, o bosibl, gan fynachod Abaty Llandudoch ger Aberteifi.

Figure 51 (above). Revealed by shifting intertidal sands, the striking remains of a V-shaped timber fish trap at the mouth of the Teifi estuary, Pembrokeshire, was discovered during Royal Commission aerial reconnaissance in 2007. Months later the site hit the national press, visible on new vertical aerial photography loaded onto Google Earth. The trap measures approximately 130 metres in length, and dives made by Dr Ziggy Otto showed it to be built of individual timber piles or posts. The trap is one of the largest fish traps on the west coast of Wales and may be medieval, possibly built by the monks of nearby St Dogmaels Abbey in Cardigan.

Ffigur 52 (de). Mae siapiau anarferol un ar bymtheg o gwningaroedd artiffisial, neu 'domenni clustog', yn trawsffurfio cyffiniau bryngaer Twyn y Gaer a godwyd ar Fannau Brycheiniog yn yr Oes Haearn. Codwyd amryw byd o gwningaroedd ar fryniau Morgannwg, Powys a mannau eraill ar ffurf twmpathau crwn, croesau, twmpathau hirsgwar mwy cyffredin (tebyg i siâp sigâr) neu'r ffurfiau 'L' mwy anarferol fel a welir yma. Bydd archaeolegwyr-o'r-awyr yn gweld tomenni clustog yn gyson ar uwchdiroedd Cymru yn yr hydref a'r gaeaf, a thros y canrifoedd diweddar bu'r rheiny'n ffynhonnell hanfodol o incwm yng nghefn gwlad gan i'r trigolion werthu crwyn cwningod i'r diwydiant ffwr a bwyta'r cig.

Figure 52 (right). The unusual shapes of sixteen artificial rabbit warrens, or 'pillow mounds', transform the environs of Twyn y Gaer Iron Age hillfort in the Brecon Beacons. Built as circular mounds, crosses, more common 'cigar shaped' oblong mounds or more unusual L-shapes as seen here, such warrens were numerous in the hills of Glamorgan, Powys and elsewhere. Providing an essential rural income in recent centuries from the sale of pelts for the fur trade, as well as a ready source of food from the meat, pillow mounds are a regular sight for aerial archaeologists over Welsh uplands in autumn or winter.

Ffigur 53. Ar draws caeau sy'n ddwy neu'n dair mil o flynyddoedd oed yn y Ro-wen ger Conwy yn y gogledd-orllewin mae ffordd Rufeinig yn dringo'n drahaus o ymerodrol dros yr holl batrymau o ddal tir. Yr heneb hynaf yma yw Maen y Bardd, beddrod siambr hyfryd o'r Oes Neolithig ac un sy'n edrych draw dros y ffordd Rufeinig sydd ger canol y llun. Cadwyd y ffordd Rufeinig yn llwybr ar draws yr uwchdiroedd anodd hyn tan yr oes fodern, ac mae ffermwyr y bryniau heddiw'n dal i ddefnyddio caeau o'r Oes Haearn.

Figure 53. Striking across two or three -thousand year old fields at Rowen, near Conwy in north-west Wales, a Roman road sliced through all pre-existing patterns of land holding in a defiant imperial statement. The oldest monument here is Maen y Bardd, a delightful Neolithic chambered tomb, which overlooks the Roman road near the centre of the frame. The Roman road was retained as a route across these difficult uplands into modern times, and Iron Age fields are still used by the hill farmers of today.

Ffigur 54. Golwg newydd ar hen gaeau. Er nad yw Ynys Sgomer, sydd oddi ar arfordir de-orllewinol Sir Benfro, ond 3 km ar ei thraws, cafodd hi ei hanheddu a'i hamaethu'n ddwys yn y cyfnod cynhanesyddol. Yn ddiweddar, mae'r Comisiwn Brenhinol wedi cychwyn rhaglen newydd o arolygu Sgomer yn archaeolegol gan ddefnyddio taith hedfan arbennig gan Asiantaeth yr Amgylchedd i'w sganio o'r awyr â laser (LiDAR). Yn y prif lun sy'n deillio o'r arolwg LiDAR, gwelir tirwedd gynhanesyddol sydd o bwys rhyngwladol ac yn fwy cymhleth o lawer nag a sylweddolwyd cynt. Mae mapio gofalus ar yr olion archaeolegol (y llun mewnol) yn amlygu'r patrwm rhyfeddol o furiau terfyn (mewn coch) o'r Oes Haearn, a chyn hynny efallai, sy'n cris-croesi'r ynys gan amgáu mân bentrefi o dai crwn a rhannu'r tir.

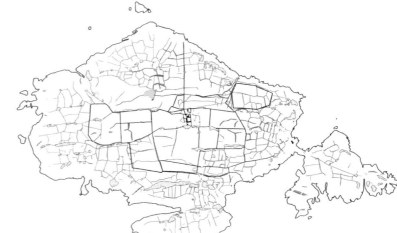

Figure 54. A new view of old fields. Just 3 km across, Skomer Island, lying off the south-west coast of Pembrokeshire, was intensively farmed and settled in prehistory. Recently the Royal Commission has begun a new programme of archaeological survey on Skomer harnessing airborne laser scanning (LiDAR) of the island specially flown by the Environment Agency. The main image, generated from the LiDAR survey, reveals a preserved prehistoric landscape of international significance, and far more complex than previously realised. Careful mapping of the archaeology (inset) reveals the remarkable pattern of Iron Age, or possibly earlier, boundary walls (in red) criss-crossing the island, enclosing hamlets of round houses and dividing up blocks of land.

Ffigur 55. Golwg eang tua'r gorllewin ar draws Aberteifi ac aber afon Teifi, a Sioe Sirol Amaethyddol Aberteifi'n cael ei chynnal tua diwedd haf 2007. Ers amser maith, mae ffeiriau a marchnadoedd yn adegau hollbwysig yn y flwyddyn amaethu i'r rhai sy'n byw ar ffermydd cefn gwlad am eu bod yn gyfle i adnewyddu cyfeillgarwch a mwynhau cystadlu. Cynhelir y sioe undydd hon bob blwyddyn a cheir cystadlaethau gwartheg, geifr, defaid, moch a cheffylau, a gyrru a neidio ceffylau. Cynhelir sioeau cŵn, cystadlaethau garddwriaethol a chrefftau hefyd ochr yn ochr ag arddangos campau mor amrywiol â chneifio defaid a hedfan adar ysglyfaethus. Ar ôl i'r tyrfaoedd wasgaru, fe wnaiff yr olion yn y gwair ddiogelu'r atgof o'r sioe am wythnosau lawer.

Figure 55. A wide vista looks west across Cardigan and the Teifi Estuary with Cardigan County Agricultural Show in full swing in late summer 2007. Fairs and markets have long been vital points in the farming year for those on rural holdings to renew friendships and indulge their competitive spirit. This one day show is held annually and classes include cattle, goats, sheep, pigs and horses, including show-jumping and driving. Dog shows, horticultural competitions and crafts also feature alongside working demonstrations as diverse as sheep shearing and birds of prey. After the crowds disperse, worn marks in the grass preserve the memory of the show for many weeks.

Ffigur 56. Tir i ffermio defaid arno yw uwchdiroedd Cymru ac wrth i'r tymhorau newid caiff mamogiaid eu symud yn rheolaidd rhwng buarth y fferm, tir pori'r iseldir a thir y mynydd. Yn y bryniau i'r gogledd o Lansilin yng ngogledd Sir Drefaldwyn, caiff y mamogiaid eu hel i fuarth fferm Tŷ Uchaf ar ddiwrnod oer ym mis Mawrth. Ar y dde, mae'r silwair sydd wedi'i daenu mewn cylch helaeth ar dir dan eira ar Fynydd Morfil, i'r gorllewin o Fynyddoedd y Preseli yn Sir Benfro, yn lliniaru rhywfaint ar effeithiau gwaethaf dyfnder gaeaf i'r defaid a'r gwartheg.

Figure 56. Upland Wales is sheep-farming country and each year, as the seasons change, ewes are moved between farmyard, lowland pasture and mountain in a regular cycle. In the hills north of Llansilin, north Montgomeryshire, ewes are brought into the farmyard of Tŷ Uchaf farm on a cold day in March. At right, silage spread on snowy ground in a wide arc alleviates the worst effects of deep winter for sheep and cattle alike on Mynydd Morvil, west of the Preseli Hills in Pembrokeshire.

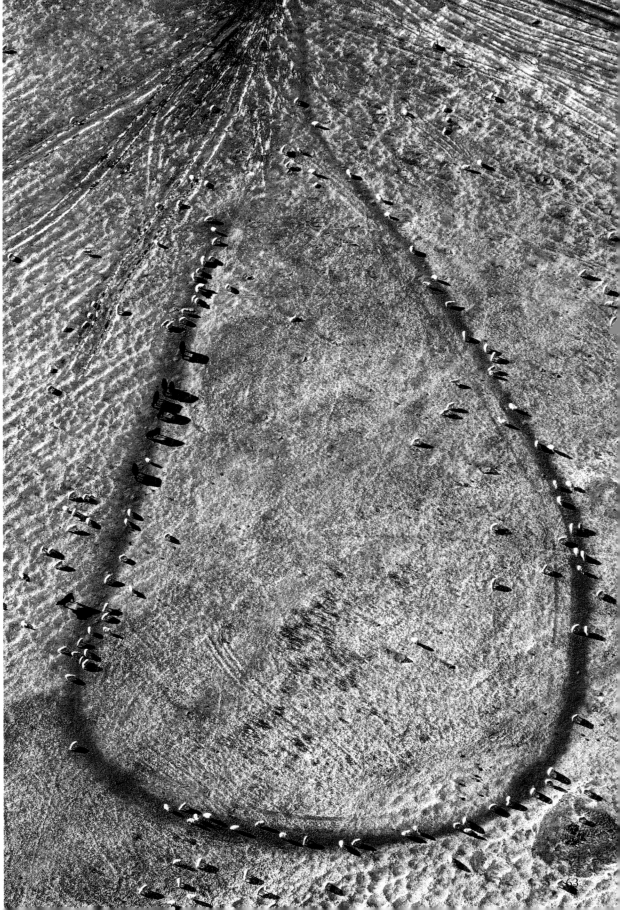

Grym a Bri

Prestige and Power

Drwy godi caerau, cestyll a phlastai mawr - a mannau llywodraethu - o bridd, coed a cherrig mae llwythau, tywysogion, brenhinoedd, diwydianwyr a gwleidyddion grymus i gyd wedi siapio tirwedd Cymru. Ymddangosodd bryngaerau gwych yng Nghymru gyntaf ryw 2,500 o flynyddoedd yn ôl, ymhell cyn i'r Rhufeiniaid gyrraedd a chodi eu trefi a'u gwersylloedd yma. Codwyd yr aneddiadau hynny mewn mannau amlwg ar bennau bryniau, ac o'u hamgylch cloddiwyd ffosydd dwfn a chodwyd rhagfuriau enfawr. Byddai codi'r terfynau hynny'n brosiectau peirianyddol mawr, yn dod â phobl ynghyd, yn meithrin ymwybyddiaeth o gymuned a diogelwch ac yn cynyddu bri'r gaer. Tra bo bryngaerau o'r Oes Haearn yn cynrychioli grym y gymuned, symbol o statws, awdurdod a goresgyniad yr arglwydd oedd y castell yn yr Oesoedd Canol. Bellach, nid yw llawer ohonynt yng Nghymru ond yn sgerbydau o'u gwychder gynt, ond mae eu lleoliad bygythiol a thrawiadol yn dal i'n hatgoffa ni'n glir o'u grym milwrol ac o rym arglwyddi dros eu cymdeithas. Yn sgil cyflwyno powdr gwn a'r canon, rhoes yr arglwyddi canoloesol y gorau i godi preswylfeydd amddiffynedig a dechreuodd uchelwyr tiriog godi plastai. Erbyn tua dechrau'r bedwaredd ganrif ar bymtheg, yr oedd diwydianwyr a mentrwyr yr oes wrthi'n comisiynu plastai ysblennydd yn null y cestyll canoloesol. Heddiw, gan bobl Cymru y mae'r grym a'r awdurdod, ac mae eu hadeiladau sifig yn symbol o'r ddemocratiaeth fywiog ac amrywiol a geir yng Nghymru erbyn hyn.

Powerful tribes, princes, kings, industrialists, and politicians have all shaped the landscape of Wales, building great forts, castles and mansions of earth, timber and stone, and seats of government. Magnificent hillforts first appeared in Wales some 2,500 years ago, long before the Romans arrived and constructed their towns and camps. These hilltop settlements occupied prominent locations and were surrounded by deep ditches, and vast ramparts. Building these boundaries would have been major engineering projects, bringing people together, providing them with a sense of community and security, and enhancing the prestige of the settlement. Whereas the Iron Age hillforts represented community power, the medieval castle was a symbol of lordly status, authority and conquest. Many in Wales are now only skeletons of former splendour, but magnificent and intimidating settings still stand as potent reminders of military might and as symbols of aristocratic power over contemporary society. With the introduction of gunpowder and cannon, the fortified residence of the medieval lord gave way to the country house of the landed gentry, and by the early nineteenth century, opulent mansions, built in the style of medieval castles, were being commissioned by the industrialists and entrepreneurs of the day. Today, power and authority is vested in the people of Wales and civic buildings represent the vibrant and diverse democracy that Wales has become.

Ffigur 58. Cestyll o fewn cylchoedd o waliau a dŵr. Mae cadarnleoedd milwrol Biwmares (chwith) a Chaerffili (de) yn dal i dra-arglwyddiaethu ar ganol y naill dref a'r llall. Dechreuwyd codi Castell Biwmares ym 1295 yn ddolen olaf yn y cylch o gestyll a godwyd gan Edward I i amddiffyn arfordir y gogledd. Patrwm cydganol sydd i gastell Biwmares. O amgylch y cwrt sgwâr yr oedd ward, a phorthdai deudwr i'r gogledd a'r de ohono ac yr oedd tyrrau crwn yn y corneli. Cwblhawyd codi castell trawiadol Caerffili erbyn 1290 ac fe'i gwelir yma yng ngolau'r hydref. Mae iddo gwrt canolog mawr a muriog, tyrrau uchel a chrwn ym mhob cornel a phorthdai deudwr anferthol ar yr ochrau dwyreiniol a gorllewinol. Delir y dyfroedd yn ôl gan arglawdd amddiffynedig enfawr ar yr ochr ddwyreiniol. Casgliad digymar o waliau, tyrrau a bastiynau, felly, sy'n wynebu'r dref fodern.

Figure 58. Castles within rings of walls and water – the military strongholds of Beaumaris (left) and Caerphilly (right) still dominate the centres of two Welsh towns. Construction of Beaumaris Castle was begun in 1295, the last link in the ring of defence provided for the north Wales seaboard by Edward I. Beaumaris had a concentric layout, with the square courtyard surrounded by an enclosing ward, with round towers at the corners and twin-towered gatehouses to the north and south. Caerphilly Castle, seen here in autumn sunlight, is an imposing medieval fortress completed by 1290. The castle consists of a great walled central court with tall round towers at each corner and huge twin-towered gatehouses on the east and west sides. The waters are held back by a massive fortified embankment on the east side, which presents an unparalleled array of walls, towers and bastions that face towards the modern town.

Ffigur 59. Ffyrdd moethus uchelwyr yr Oesoedd Canol o fyw – mae preswylfeydd crand Rhaglan (chwith) a Chaeriw (de) yn adlewyrchu'r broses o ailwampio cestyll yn blastai. Efallai i Gastell Rhaglan yn Sir Fynwy fod yn domen a beili'n wreiddiol, ond tua 1435 dechreuodd Syr William ap Thomas weithio ar yr adeiladwaith presennol a chodi'r Twr Mawr, sef gorthwr enfawr â ffos iddo. Ym 1461, ar ôl iddo farw, cychwynnodd ei fab, William Herbert, ar raglen adeiladu helaeth ac uchelgeisiol i gyd-fynd â'i statws newydd fel Barwn Rhaglan, ond nid tan i'r castell fynd i ddwylo teulu Somerset, Ieirll Caerwrangon, y'i trawsffurfiwyd ef am y tro olaf drwy ychwanegu gardd â therasau muriog hir a llyn ato. Canolfan i arglwyddiaeth Eingl-Normanaidd yn ne Sir Benfro oedd Castell Caeriw. Adeiladwaith a godwyd yn bennaf yn niwedd y drydedd ganrif ar ddeg a dechrau'r bedwaredd ganrif ar ddeg yw'r castell presennol, ac mae iddo dri thŵr o ystafelloedd o amgylch cwrt. Ailwampiwyd y castell yn niwedd y bymthegfed ganrif a dechrau'r unfed ganrif ar bymtheg ac yna tua diwedd yr unfed ganrif ar bymtheg pan ychwanegwyd adeiladau Tuduraidd at y rhan ogleddol ohono. Canlyniad hynny oedd creu plasty digon crand i ddifyrru tywysogion ynddo.

Figure 59. Lavish lifestyles of the medieval aristocracy – the grand palatial residences of Raglan (left) and Carew (right) reflect the remodeling of castles into country houses. Raglan Castle, Monmouthshire, may have originated as a motte and bailey, but it was around 1435 that Sir William ap Thomas started work on the present structure and built the great tower, a massive, moated keep. In 1461, after his death, his son William Herbert embarked on a lavish and ambitious building programme to reflect his new status as Baron of Raglan, but it was not until the castle passed to the Somersets, Earls of Worcester, that the castle underwent its final transformation: augmented by a garden with long walled terraces and a lake. Carew Castle was the centre of an Anglo-Norman lordship in southern Pembrokeshire. The present castle is primarily a late thirteenth to early fourteenth-century structure consisting of three towered ranges set about a courtyard. The castle was remodelled in the late fifteenth to early sixteenth century and again in the late sixteenth century when the Tudor north range was added. The result was a mansion fit for the entertainment of princes.

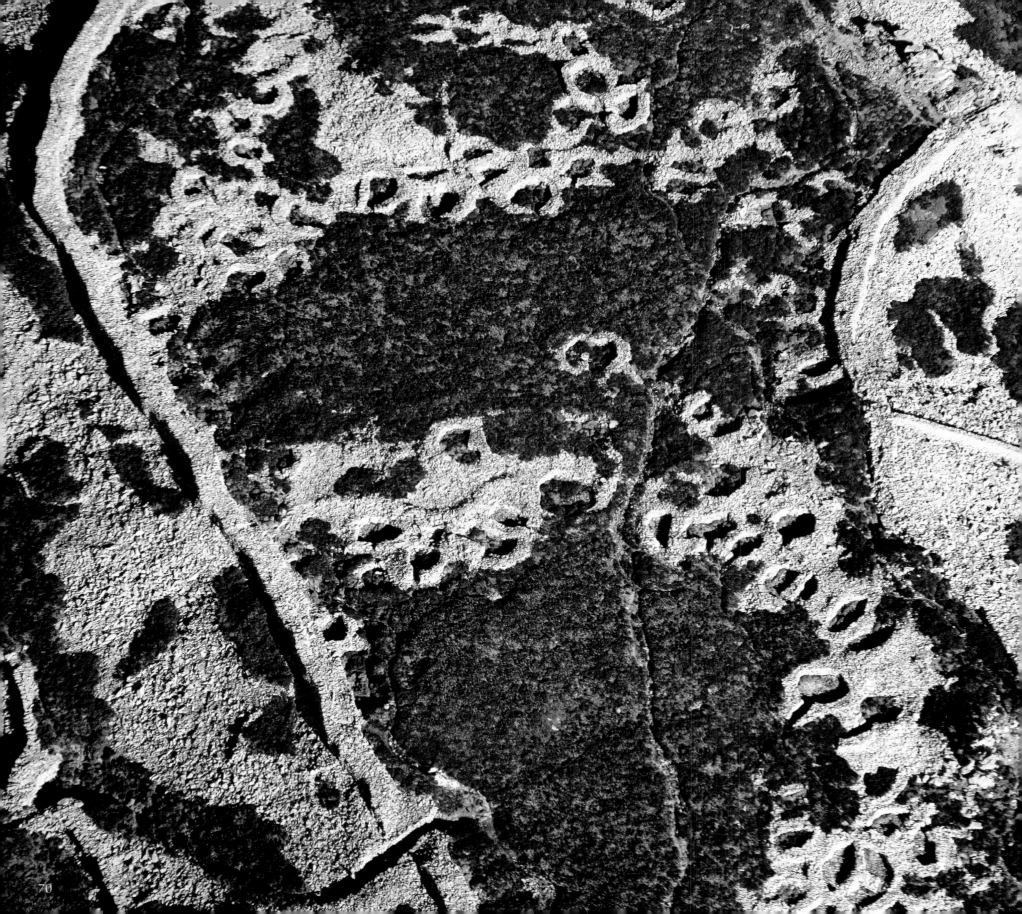

Ffigur 60. Uchelgaer o sgri a cherrig: prin yw'r safleoedd cynhanesyddol yng Nghymru sy'n porthi'r dychymyg cymaint ag a wna bryngaer Tre'r Ceiri uwchlaw tir penrhyn Llŷn ar y copa mwyaf dwyreiniol o dri chopa'r Eifl. O amgylch Tre'r Ceiri mae rhagfur aruthrol a wal allanol rannol, sy'n dal i fod hyd at 3.5 metr o uchder hwnt ac yma. Man arbennig yw hwn; am ei fod dros 450 o fetrau uwchlaw lefel y môr, mae golygfa ryfeddol oddi yma ac mae'r gaer yn gyforiog o ystyr ac o hanes. Ond mae ef hefyd yn fan agored a garw. Gellir dal i weld amlinelliadau o dai crwn cerrig y trigolion wedi'u cywasgu i ganol y fryngaer – arwydd bod poblogaeth sylweddol a ffyniannus wedi bod yn byw yma. Mae'n debyg i'r fryngaer gael ei chodi tua diwedd yr Oes Haearn ac iddi ddal i gael ei defnyddio tan o leiaf y bedwaredd ganrif OC. Bu pobl yn byw yno, felly, yn ystod cyfnod y Rhufeiniaid yng ngogledd-orllewin Cymru. Yn un o'r tai cafwyd hyd i dlws unigryw o ddiwedd y ganrif gyntaf/dechrau'r ail ganrif OC a throsto haen o aur, ac mae hynny'n awgrymu i'r fryngaer fod yn gartref i gymuned gyfoethog a phwerus.

Figure 60. A citadel of scree and stone: few Welsh prehistoric sites capture the imagination as powerfully as Tre'r Ceiri hillfort, which towers over the Llŷn peninsula from the easternmost summit of the three peaks of Yr Eifl. Tre'r Ceiri is enclosed by a formidable single rampart with a partial outer wall, surviving in places to 3.5 metres high. This is a special place; at over 450 metres above sea level it is visually stunning and invested with meaning and histories, but it is also an exposed and forbidding location. The outlines of the stone-built roundhouses of the occupants can still be seen crammed into the interior of the hillfort indicating a thriving and substantial population in this inhospitable location. The hillfort was probably constructed in the Late Iron Age and remained in use until at least the fourth century AD meaning that it continued as a settlement during the Roman occupation of north-western Wales. In one of the houses, a unique late first/early second century AD gold-plated brooch was discovered suggesting that the hillfort was home to a powerful and wealthy community.

Ffigur 61. Canolbwynt grym i'r Eingl-Normaniaid: castell tomen-a-beili cwbl nodweddiadol yw Castell Cas-wis yn Sir Benfro, ac mae'n un o'r rhai sydd wedi goroesi orau yng Nghymru. Ar ben y mwnt sy'n 7 metr o uchder ceir olion gorthwr crwn a godwyd o gerrig ac sydd â ffos ddofn o'i amgylch. Efallai i'r beili sydd o'i gwmpas fod, yn wreiddiol, yn anheddiad amddiffynedig o'r Oes Haearn ac iddo gael ei ailddefnyddio yn yr Oesoedd Canol. Mae'n fwy na thebyg i'r castell gael ei sefydlu gan Wizo, anheddwr cynnar o Fflandrys, yn y ddeuddegfed ganrif. Ym 1220 cipiodd a dinistriodd Llywelyn Fawr, Tywysog Gwynedd, y castell yn ystod un o'i ymgyrchoedd yn y de.

Figure 61. An Anglo-Norman power base: Wiston Castle, Pembrokeshire, is an archetypal motte and bailey castle, and one of the best preserved in Wales. The 7 metre high motte or mound is crowned by the ruins of a circular stone keep and surrounded by a deep ditch. The surrounding bailey may even originally have been an Iron Age defended settlement re-used in the medieval period. The castle was probably established by an early Flemish settler, Wizo, during the twelfth century. In 1220 it was captured and destroyed by Llywelyn ab Iorwerth, Prince of Gwynedd, during one of his campaigns in south Wales.

Ffigur 62. Grym cymunedau'r Oes Haearn. Bryngaer Pen-y-crug ger Aberhonddu yw un o gampweithiau mawr Cymru'r Oes Haearn. Mae ei phum llinell gydganol o amddiffynfeydd, a ddaliwyd o dan eira mis Chwefror, yn rhwystrau rhyfeddol o gadarn. Er bod cymunedau yn yr Oes Haearn yn gymhleth a soffistigedig, gallai gelyniaeth leol fod wedi esgor ar drais o dro i dro, yn enwedig o ran defnyddio adnoddau a sicrhau rheolaeth drostynt. Ac er bod gwrthgloddiau a ffosydd enfawr yn amddiffyn aneddiadau fel bryngaerau, nid adlewyrchu grym milwrol a wnaent. Mater o statws a bri'r gymuned a pherthnasoedd grym rhwng y cymunedau yw'r helaethu a fu ar wrthgloddiau terfyn fel y rhai ym Mhen-y-crug, yn hytrach na dim ond bod yn gylch amddiffynnol.

Figure 62. The power of Iron Age communities. Pen-y-Crug hillfort, near Brecon, stands as one of the great achievements of Iron Age Wales. Captured under February snow the five concentric lines of defences are an astonishing barrier. Iron Age communities were complex and sophisticated, yet local rivalries may have spilled over into violence from time to time, particularly concerning access and control of resources. Settlements like hillforts were defended with huge banks and ditches, but this did not just reflect military might. The elaboration of boundary earthworks, such as those at Pen-y-Crug, relates to the status and prestige of the community and inter-communal power relations, rather than merely functioning as a defensive circuit.

Ffigur 63 (chwith). Un o'r gyfres o gestyll a godwyd gan Edward I yn ystod ei ymgyrchoedd yn y gogledd yn y drydedd ganrif ar ddeg yw castell trawiadol Rhuddlan. Cynllun ar ffurf diemwnt sydd iddo ac o'r awyr mae golwg drawiadol ar furiau cadarn a thyrrau crwn y ward fewnol. Addaswyd cwrs yr afon fel bod modd i longau ddod â nwyddau i'r castell, ac yn y muriau allanol (gwaelod, canol) gellir gweld olion porth amddiffynedig yr afon islaw dau dŵr nerthol y ward fewnol.

Figure 63 (left). The impressive castle at Rhuddlan was one of the iron ring of fortresses built by Edward I during his campaigns in north Wales during the thirteenth century. Diamond-shaped in plan, the formidable walls and round towers of the inner ward are striking from the air. Approached by a canalised river to allow provision to the castle by ship, the remains of the defended river gate can still be seen in the outer walls (bottom, centre), overlooked by the powerful twin towers of the inner ward.

Ffigur 64 (de). Grym lle. Ar gopa Dinas Brân ger Llangollen mae olion castell a godwyd yn y drydedd ganrif ar ddeg gan dywysogion gogledd Powys o fewn bryngaer gynharach o'r Oes Haearn. Mae'r dewis o leoliad i'r castell yn ddiddorol – ai'r atyniad oedd copa y gellid ei amddiffyn yn hawdd neu, yn anad dim, y cysylltiad â grym y gorffennol? Er mor llwm yw'r adfeilion, bu'r castell canoloesol ar un adeg yn foethus ac ysblennydd fel y gweddai i brif breswylfa arglwydd.

Figure 64 (right). The power of place. Crowning the summit of Dinas Bran near Llangollen are the ruins of a thirteenth-century castle of the princes of northern Powys, built within an earlier Iron Age hillfort. The choice of location for the castle is interesting – was it just the attraction of a readily defensible summit, or was the association with a powerful and potent past the primary concern? Although the ruins are stark, the medieval castle was once magnificent and sumptuous, as befitted the principal residence of a lord.

Ffigur 65. Cyfoeth y diwydianwyr – cafodd yr arian mawr a wnaed gan ffatrïoedd a chwareli adeg y Chwyldro Diwydiannol ei ddefnyddio i greu palasau crand i wŷr mawr newydd Cymru. Codwyd Castell Cyfarthfa (chwith) ym 1824-5 ar gyfer William Crawshay II, haearnfeistr Merthyr Tudful, ac fe edrychai allan dros ei weithiau dur a'i ffwrneisiau chwyth. Gerllaw, cyflenwai llyn addurnol ddŵr ychwanegol i'r gwaith haearn yng Nghyfarthfa. Erbyn heddiw, mae'r adeilad yn ysgol ac yn amgueddfa sy'n mawrygu treftadaeth ddiwydiannol gyfoethog y dref. Yn y 1820au, hefyd, y codwyd Castell y Penrhyn yng ngogledd-orllewin Cymru (de), un o'r tai mwyaf ym Mhrydain, ac fe'i cynlluniwyd i fod yn gastell ffantasïol helaeth. Fe'i codwyd ar gyfer George Hay Dawkins-Pennant, ail Farwn Penrhyn a pherchennog chwarel broffidiol y Penrhyn (gweler Ffigur 138).

Figure 65. Opulence of the industrialists – fortunes made in the factories and quarries of the Industrial Revolution were used to create grand palaces for the new princes of Wales. Cyfarthfa Castle (left) was built in 1824-5 for William Crawshay II, the Merthyr Tydfil ironmaster, overlooking his ironworks and blast furnaces. A nearby ornamental lake supplemented the water supply to the ironworks at Cyfarthfa. The building is now used both as a school and as a museum celebrating the rich industrial heritage of the town. Also dating to the 1820s Penrhyn Castle, north-west Wales (right), is one of the most enormous houses in Britain, designed as an extensive fantasy castle and built for George Hay Dawkins-Pennant, the second Baron Penrhyn and owner of the profitable Penrhyn slate quarry (see Figure 138).

Ffigur 66 (chwith). Datganiad pendant o berchnogaeth a rheolaeth tir yw'r rhodfa fawr, a sefydlwyd gyntaf tua 1735-40, at Blas Corsygedol ar arfordir gorllewinol Sir Feirionnydd. Yn yr unfed ganrif ar bymtheg y cynlluniwyd patrwm y plasty a'i gerddi ffurfiol gwreiddiol yn gyntaf, ond mae llawer o'r hyn sydd i'w weld yno heddiw'n dyddio o'r ddeunawfed ganrif ac yn deillio o waith cynllunio ac ailgynllunio gan y naill berchennog ar ôl y llall. Mae'r llun yn dangos y dirwedd o'r de-orllewin yn gynnar ym mis Mai 2005 wrth i'r coed ddechrau deilio.

Figure 66 (left). First laid out around 1735-40, the great avenue serving Cors y Gedol Hall on the west coast of Merioneth, north Wales, makes a bold statement of land ownership and control. The hall with its original formal gardens were first laid out in the sixteenth century, although much of what is visible today dates from the eighteenth century and later, planned and re-planned under successive owners. This view shows the landscape from the south-west in early May 2005, with trees just coming into leaf.

Ffigur 67 (de). Saif plasty Erddig ar diroedd helaeth ac mae ef wedi'i restru'n adeilad gradd I. Fe'i codwyd rhwng 1684 a 1687 ar gyfer Joshua Edisbury gan Thomas Webb o Middlewich. Gwnaed newidiadau mawr i'r adeilad yn y 1770au o dan deulu Yorke. Yma yng nghanol y llun mae gardd ffurfiol yn null yr Iseldiroedd, ac fe'i crëwyd o tua diwedd yr ail ganrif ar bymtheg i ddechrau'r ddeunawfed ganrif. Gan i lawer o nodweddion y plas gael eu cadw, mae'n enghraifft odidog o'i fath. Ym 1973 fe'i trosglwyddwyd i'r Ymddiriedolaeth Genedlaethol i sicrhau y caiff y cenedlaethau sydd i ddod ei fwynhau.

Figure 67 (right). Set within extensive grounds, Erddig Hall is a grade I listed building built between 1684 and 1687 for Joshua Edisbury by Thomas Webb of Middlewich. Major alterations to the building took place in the 1770s under the Yorke family. The Dutch-style formal garden, seen here at the centre of the photograph, dates from the late seventeenth to eighteenth centuries. Having retained many of its original features it is an outstanding example of its kind. In 1973 Erddig Hall was passed to the National Trust thereby ensuring its survival for future generations.

Ffigur 68. Er mwyn i ymwelwyr â phlasty Llanerchaeron allu gweld a bwyta ffrwythau, llysiau a blodau o fri, trefnwyd i ardd ddwbl cegin y plasty fanteisio ar ddatblygiadau technolegol diweddaraf y ddeunawfed ganrif, sef stofdai gwydrog a waliau a gâi eu cynhesu. Comisiynodd teulu'r Lewisiaid y pensaer ffasiynol John Nash i godi plasty Llanerchaeron gerllaw, rai milltiroedd o Aberaeron, yn ganolbwynt i fferm a gardd. Cuddiai'r tiroedd ymbleseru yr ystâd weithiol yn gelfydd o olwg yr ymwelwyr.

Figure 68. At the forefront of eighteenth-century garden technology, Llanerchaeron's double kitchen garden incorporated glazed stovehouses and heated walls to allow prestigious fruit, vegetables and flowers to be displayed to, and consumed by, visitors to the house. The Lewis family commissioned the fashionable John Nash to build nearby Llanerchaeron mansion, inland from Aberaeron, which sat at the heart of a working farmstead and garden. Pleasure grounds cleverly screened the working estate from visitors.

Ffigur 69. Plasty Elisabethaidd a godwyd tua diwedd yr unfed ganrif ar bymtheg o fewn llenfur castell canoloesol yw Castell Sain Ffagan, ac o amgylch ei hen dyrrau ceir gerddi braf. Am fod iddynt adeiladwaith Tuduraidd ac elfennau canoloesol maent ymhlith y gerddi hanesyddol pwysicaf sydd wedi goroesi yng Nghymru. Cynllun o oes Victoria ac Edward sydd i lawer o batrymau'r plannu sydd i'w gweld yno heddiw.

Figure 69. Restored to their former glory, elegant gardens surround the old towers of St Fagans Castle, actually an Elizabethan mansion built in the late sixteenth century within the curtain wall of a medieval castle. These are among the most important surviving historic gardens in Wales, having an underlying Tudor structure and surviving medieval elements. Much of the planting visible today adopts a Victorian and Edwardian scheme.

Ffigur 70. Adfeilion agored sy'n cyfleu dirywiad rhai o'r plastai gwledig mawr. Ar un adeg, bu adfail rhamantus Castell Rhiwperra yn y de (de) yn gartref i'r gŵr llys Syr Thomas Morgan. Codwyd y castell ym 1626 a bu unwaith yn gartref Jacobeaidd ac yn llawn celfi cain. Wedi i dân ei ddinistrio tua diwedd y ddeunawfed ganrif, fe'i hailgodwyd. Er iddo fod ar ei anterth yn y bedwaredd ganrif ar bymtheg, yr oedd yn wag erbyn 1935. Ar goll, bron, ymysg y coed y mae plasty Baron Hill, Môn (uchod), cartref teulu Bulkeley. Codwyd y tŷ'n wreiddiol ym 1618 a'i ailwampio yn yr arddull Neo-Baladaidd tua diwedd y ddeunawfed ganrif. Gan i deulu Bulkeley fethu â chynnal y tŷ ar ôl y Rhyfel Byd Cyntaf, bu'n rhaid iddynt symud i adeilad llai crand gerllaw. Yn ystod yr Ail Ryfel Byd defnyddiwyd y tŷ'n llety i'r Peirianwyr Brenhinol, ond ar ôl i dân wneud difrod difrifol iddo fe'i gadawyd yn adfail.

Figure 70. Roofless ruins chart the decline of some of the great country houses. The romantic ruin of Ruperra Castle, south Wales (right), built in 1626, was once a finely furnished Jacobean courtier's house, home to Sir Thomas Morgan. After being destroyed by fire in the late eighteenth century, the castle was rebuilt. The nineteenth century saw its heyday but by 1935 the castle had been abandoned. Almost lost among the trees, the mansion of Baron Hill, Anglesey (above) was the family seat of the Bulkeley family. Originally built in 1618, the house was remodelled in Neo-Palladian style towards the end of the eighteenth century. The Bulkeley family was unable to maintain the house after the First World War and moved to more modest accommodation nearby. During the Second World War it was used as a billet for the Royal Engineers, but it was left ruinous after being severely damaged by fire.

Ffigur 71 (uchod). Cododd y Normaniaid Gastell Ynysgynwraidd ar lan Afon Mynwy wrth iddynt anheddu'r Gororau a diogelu'r ffyrdd hollbwysig rhwng Henffordd a gweddill Lloegr. Ffurfiwyd triongl o rym gan y castell hwn, Castell y Grysmwnt a Chastell Gwyn. Dechreuwyd codi'r castell o gerrig tywodfaen coch tua diwedd y ddeuddegfed ganrif i rwystro ymosodiadau gan y Cymry, a nod ei gynllun oedd cyfuno effeithlonrwydd milwrol â chartref cysurus. Cynllun is-betryal sydd i'r castell a cheir twr crwn ym mhob cornel, gorthwr crwn yn y canol, a neuadd a chyfres o leoedd byw i'r gorllewin.

Ffigur 72 (de). Uwchlaw'r Mwmbwls a Bae Ystumllwynarth (a welir ar frig y llun) mae adfeilion Castell Ystumllwynarth o'r golwg o dan drwch o lystyfiant yn y llun a dynnwyd ym 1947. Mae'n debyg mai William de Londres a sefydlodd y castell yma ym 1107 ar ôl i Henry Beaumont oresgyn Gŵyr. Uwchben y castell sylfaenol o bridd a phren codwyd gorthwr o gerrig tua 1138 ac yn gynnar yn y drydedd ganrif ar ddeg fe ychwanegwyd bloc canolog estynedig (a ymgorfforodd y gorthwr cynharach) ato. Mae'r llun hanesyddol hwn yn dangos y clytwaith o randiroedd o amgylch y castell ar dir y delir i dyfu llysiau arno heddiw.

Figure 71 (above). Set on the River Monnow, Skenfrith Castle was built by the Normans during their settlement of the Marches to protect vital communication routes between Hereford and the rest of England. It formed a triangle of power with Grosmont Castle and White Castle. The red sandstone castle was begun in the late twelfth century to prepare for possible Welsh attack, its design aimed both at military efficiency and domestic comfort. The castle is sub-rectangular, with a circular tower at each corner, a circular keep at the centre, and a hall and range of domestic apartments to the west.

Figure 72 (right). Overlooking the Mumbles and Oystermouth Bay (seen at the top of photograph) the ruins of Oystermouth Castle are hidden beneath dense vegetation in this 1947 view. It is probable that William de Londres founded the castle in 1107 following Henry Beaumont's conquest of Gower. The primary castle of earth and timber was surmounted by a stone keep in around 1138 and in the early thirteenth century an extended central block (incorporating the earlier keep) was added. This historic view shows a patchwork of allotments surrounding the castle on land that is still given over to vegetable plots today.

Ffigur 73 (chwith). Castell un o dywysogion y Cymry. Sefydlwyd Castell y Bere, Gwynedd, gan Lywelyn ab Iorwerth ym 1221 ar dir yr oedd wedi'i gipio oddi ar ei fab, Gruffudd. Mae adfeilion y castell presennol yn cynnwys dau dŵr estynedig ar ffurf 'D', sy'n nodweddiadol o dyrrau'r Cymry. Sefydlwyd bwrdeistref fach yno, ond ni ddefnyddiwyd y castell na'r fwrdeistref ar ôl gwrthryfel y Cymry ym 1294-5. (uchod) Castell Caernarfon oedd canolfan grym y Saeson yn y gogledd yn yr Oesoedd Canol. Codwyd y gaer fawr a thrawiadol hon ar batrwm waliau mawr Caergystennin Rufeinig (Istanbul heddiw) wedi i Edward I oresgyn Gwynedd tua diwedd y drydedd ganrif ar ddeg.

Figure 73 (left). A castle of a Welsh prince. Castell y Bere, Gwynedd, was established by Llywelyn ab Iorwerth in 1221 on land seized from his son, Gruffudd. The present castle ruins include two characteristically Welsh elongated D-shape towers at either end. A small borough was established, but neither castle nor borough remained in use after the 1294-5 Welsh uprising. (above) The seat of medieval English power in north Wales, Caernarfon castle is an imperious and grand fortress built following Edward I's conquest of Gwynedd in the late thirteenth century. Its architecture was inspired by the great walls of Roman Constantinople, modern Istanbul.

Ffigur 74. O'r dde i'r brig ar y chwith yn y llun hwn, gwelir Clawdd Offa'n croesi tir âr bras i'r dwyrain o Drefaldwyn (yn y pellter ar y dde) ac yma mae'n dal i ddynodi'r ffin rhwng Cymru (de) a Lloegr (chwith). Mae'n glawdd mawr sy'n hyd at 8 metr o uchder ac mae ffos ar yr ochr orllewinol iddo. Mae'n nodwedd amlwg ar yn y dirwedd fel rheol, ac o sefyll arno gwelir golygfeydd braf iawn dros Gymru. Bu cynllunio a chodi'r clawdd yn un o brosiectau mawr yr oes ac fe'i priodolir fel rheol i Offa, brenin Sacsoniaid Mersia (Canolbarth Lloegr), yr arweinydd grymus a'r gwleidydd craff a deyrnasodd o OC 757 tan 796.

Figure 74. Running from the bottom right to top left of this photograph, Offa's Dyke slices through prime arable land to the east of Montgomery (seen here, far right) and still here marks the boundary between England (left) and Wales (right). Formed of a large bank up to 8 metres high with a west-facing ditch, the Dyke typically occupies an imposing position in the landscape with fine and commanding views into Wales. The planning and construction of the Dyke was one of the great undertakings of the age and is usually attributed to Offa, the Saxon King of Mercia (The Midlands), who was a powerful leader and astute politician ruling from AD 757 to 796.

Ffigur 75. Y tu hwnt i'r ffermdy, mae heulwen isel y gaeaf yn amlygu gwrthgloddiau Castell Sycharth, tomen a beili canoloesol ar lawr dyffryn afon Cynllaith yn y gogledd-ddwyrain. Er nad yw'r olion yn fawr, maent yn rhai o'r rhai pwysicaf yng Nghymru. Dyma gartref Owain Glyndŵr fel y'i disgrifiwyd gan Iolo Goch mewn cywydd a luniodd tua 1390. Wrth gloddio rhan fach o frig y mwnt, cafwyd tystiolaeth fod yno ddau adeilad â ffrâm o goed sef, efallai, ran o'r hyn a eilw'r cywydd yn 'tai pren glân mewn top bryn glas'. Mae'n fwy na thebyg y byddai rhagor o adeiladau, gan gynnwys neuadd fawr yr arglwydd, wedi sefyll o fewn y beili.

Figure 75. Behind the farmhouse, low winter sunlight picks out the earthworks of Sycharth Castle, a medieval motte and bailey at the base of the Cynllaith valley in north-east Wales. The remains are unassuming, yet are perhaps some of the most significant in Wales. This was the home of Owain Glyndŵr, as described by Iolo Goch in a poem of about 1390. Excavations of a small part of the motte top uncovered evidence for two timber-framed buildings, possibly part of what the poem describes as 'a fine wooden house atop a green hill'. Further buildings, including a great lordly hall, would probably have stood within the bailey.

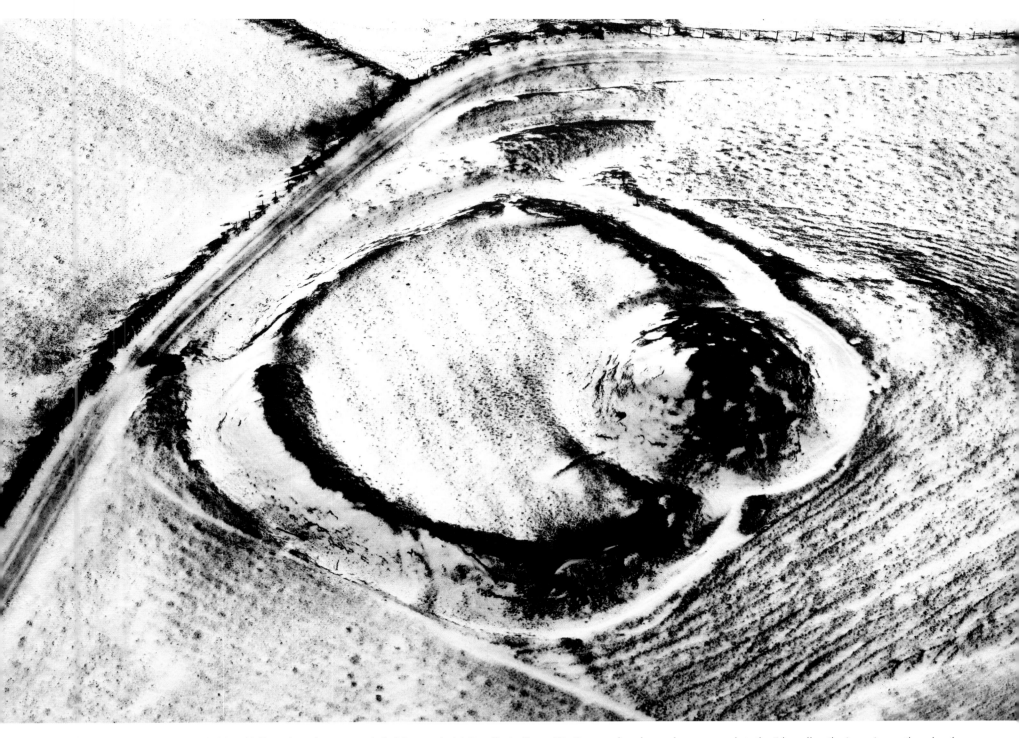

Ffigur 76. Uwchlaw'r ffordd o'r gogledd at ddyffryn afon Edw mae gwrthgloddiau trawiadol Castell Crugerydd (Crug Eryr), tomen a beili o'r ddeuddegfed ganrif sy'n olygfa gyfarwydd i'r rhai sy'n teithio'n gyson rhwng Maesyfed a'r Groes ar yr A44. Un o'r llu teithwyr a fu'n aros yno oedd yr enwog Gerallt Gymro; dywedir iddo aros yno ar ei daith o amgylch Cymru ym 1188. Mae'r llun o'r fan o dan eira a oedd wedi toddi'n rhannol yn amlygu olion grynnau cyfochrog o fewn y beili a'r rheiny'n deillio, mae'n debyg, o'r trin a fu ar y tir ar ôl rhoi'r gorau i ddefnyddio'r gaer.

Figure 76 Commanding the northern approach to the Edw valley, the imposing earthworks of Castell Crugerydd, a twelfth-century motte and bailey, are a familiar landmark for those regularly travelling between New Radnor and Crossgates on the A44. Many travellers have stopped here in the past, including the renowned Gerald of Wales who is said to have stayed here during his tour of the country in 1188. Photographed under partially melted snow, traces of parallel ridges are revealed within the bailey, probably the result of cultivation after the stronghold had gone out of use.

Ffigur 77. Mae grym a chyfoeth yr eglwys ganoloesol yn amlwg ym Mhalas yr Esgobion yn Llandyfái, Sir Benfro. Bu'n un o ystadau Tyddewi o'r cyfnod cyn goresgyniad y Normaniaid hyd at y Diwygiad Protestannaidd. Yr oedd palas Esgobion Tyddewi yn cynnwys cyfres afreolaidd o randai gwych wedi'u clystyru ar ochr ddeheuol cwrt muriog mawr. Yr elfennau cynharaf ohono sy'n goroesi yw'r Hen Neuadd orllewinol a'r is-grofft o rwbel calchfaen. Codwyd gweddill yr adeiladau'n bennaf tua diwedd y drydedd ganrif ar ddeg a dechrau'r ganrif ddilynol. Prynwyd y Palas adeg y Diwygiad Protestannaidd a bu'n gartref i uchelwyr tan yr ail ganrif ar bymtheg.

Figure 77. The power and wealth of the medieval church is apparent at the Bishops' Palace at Lamphey, Pembrokeshire, which was an estate of St Davids from before the Norman invasion until the Reformation. The palace of the Bishops of St Davids consisted of an irregular array of splendid apartments clustered on the south side of a large walled court. The earliest surviving elements are the limestone rubble western Old Hall and undercroft. The remainder of the buildings are largely of the late thirteenth and early fourteenth centuries. The Palace changed hands at the Reformation and continued as a noble house into the seventeenth century.

Ffigur 78. Canolfan grym heddiw: Canolfan Ddinesig drawiadol Casnewydd. Cafodd ei chomisiynu gan Gorfforaeth Casnewydd ym 1936 a'i chynllunio gan Thomas Cecil Howitt yn yr arddull Art Deco. Agorwyd y ganolfan, sydd ar ffurf 'U', i'r cyhoedd ym 1940. Dyma gartref cyngor y ddinas, y llysoedd a swyddfa'r maer ac mae'r canolbwynt hwn i lywodraeth leol yn edrych allan dros y ddinas.

Figure 78. A seat of modern power: the magnificent Newport Civic Centre. Commissioned by Newport Corporation in 1936 and designed by Thomas Cecil Howitt in art deco style, the U-plan complex was finally opened to the public in 1940. Housing the city council, courts and mayor's office this centre of local government watches over the city of Newport from an elevated position.

Ffigur 79. Prifddinas Cymru: Caerdydd yw dinas fwyaf Cymru ac mae hi wedi newid llawer iawn dros y 200 mlynedd diwethaf. O'r bedwaredd ganrif ar bymtheg tan ganol y ganrif ddilynol, bu dociau Caerdydd (de) yn ganolfan fasnachol ar gyfer allforio glo o'r de. Mae'r llun hwn, a dynnwyd ym 1925, yn dangos Adeilad y Pierhead a'i arddull Othig wych. Hwn, rhwng Dociau Dwyrain a Gorllewin Bute, oedd pencadlys Cwmni Dociau Bute. Yr adeilad gwyn yn y canol yw'r Eglwys Norwyaidd a ddatgymalwyd ym 1987 a'i hailgodi 500 metr i'r de. Mae hi'n edrych allan dros Fae Caerdydd. Heddiw, y llywodraeth a gweithgareddau hamdden, yn hytrach na llongau, sy'n tra-arglwyddiaethu ar Fae Caerdydd (uchod). Er bod Adeilad y Pierhead yn dal i warchod ymwelwyr, ni ddaw'r llongau mawr yno mwyach i gludo llwythi o lo o Gymru i bedwar ban y byd. Llenwyd Doc Gorllewin Bute (canol, gwaelod) ac fe'i defnyddir yn fynych heddiw yn fan cynnal carnifalau a gwyliau awyr-agored. Bellach, mae'r fynedfa i Ddoc Dwyrain Bute yn arwain at risiau'r Senedd, cartref llywodraeth ddatganoledig Cymru.

Figure 79. The capital of Wales: Cardiff is Wales' largest city and has changed much over the last 200 years. From the nineteenth to the mid-twentieth century, Cardiff docks (right) were the commercial centre for coal exports from south Wales. This 1925 photograph shows the magnificent Gothic Pierhead Building, the headquarters of the Bute Dock Company, sitting between the Bute East and West Docks. The white building in the centre is the Norwegian Church, dismantled in 1987 and rebuilt 500 metres to the south overlooking Cardiff Bay. Today, government and leisure, rather than shipping, dominate Cardiff Bay (above). The Pierhead Building still watches over visitors, but the great ships no longer come to transport cargoes of Welsh coal. The Bute West Dock (centre bottom) has been infilled, and is now frequently used as a venue for carnivals and open-air festivals, while the entrance to the Bute East Dock now leads to the steps of the Senedd, the seat of devolved Welsh government.

5

Cymuned

Community

Ffigur 80. Patrymau ar gyfer gwell dyfodol. Mae ffurf gylchog yr ystâd dai hon, sy'n dipyn o syndod o'i gweld ym maestrefi dwyreiniol Prestatyn, yn nodweddiadol o gynnyrch Mudiad y Gardd-Bentrefi rhwng y ddau Ryfel Byd. Ceir yma rodfeydd eang a gerddi helaeth yn y tu blaen a'r cefn, a chyfunwyd y cylchoedd a'r cilgantau â darnau o ofod gwyrdd agored i'r gymuned eu defnyddio. O amgylch y llain fowlio sydd yng nghanol y llun mae The Circle, East Avenue a West Avenue.

Figure 80. Patterns for a better future. The circular form of this housing estate, a surprise within the eastern suburbs of Prestatyn, is typical of the inter-war Garden Village Movement, with wide avenues and generous gardens both front and rear. Circles and crescents were combined with areas of green open space for communal use. At the centre of the photograph is the bowling green surrounded by The Circle and East and West Avenues.

Does dim modd gwybod beth fyddai barn preswylwyr cynhanesyddol bryngaer Gwersyll Tredegar, Casnewydd am linellau crwydrol y tai a godwyd yn y 1950au ar hyd lethrau'r bryn (Ffigur 88). Bydd pob cenhedlaeth yn ffurfio cymuned i ddiwallu ei hanghenion a'i dyheadau ei hun. Gan mai diogelwch oedd yn hollbwysig yn yr Oes Haearn a'r oesoedd cynt, gallwn ni edrych i lawr o'r awyr i mewn i'r hen ragfuriau hynny a gweld sylfeini clwstwr tynn o dai crwn. Bu diogelwch, a'r angen i fod yn agos at y tir a'i adnoddau, yn hanfodol i'r aneddiadau Rhufeinig ac ôl-Rufeinig hefyd. Yn sgil sefydlu cestyll a bwrdeistrefi fel y Bont-faen a Chonwy, yn yr Oesoedd Canol yr oedd gwleidyddiaeth lawn mor bwysig â diogelwch am i'r trefi amddiffynedig hynny gynnig ffordd newydd Eingl-Normanaidd o fyw. Dros y canrifoedd diwethaf, mae pwysau masnach, diwydiant a pherchnogaeth tir wedi ailwampio cymunedau a thirweddau, boed yn y pentrefi gwasgaredig o sgwatwyr a godwyd gan y tlodion gwledig ar dir comin uchel, yn y cymunedau diwydiannol newydd sbon a gododd bron dros nos gyda dyfodiad ffyniant newydd chwareli'r gogledd a maes glo'r de a'r cyfleoedd ynddynt i gael gwaith, neu yn y terasau o strydoedd a godwyd yn Oes Victoria ac Edward. O'r awyr, gallwn ni edrych i lawr ar 6,000 o flynyddoedd o gymunedau Cymru a gweld y gwahaniaethau ynghyd â gwerthoedd cyffredin eu trigolion.

It is impossible to know what the prehistoric inhabitants of Tredegar Camp hillfort, Newport, would have made of the free-flowing lines of innovative post-war housing, which crowded around their hill in the 1950s (Figure 88). Each generation forms a community to meet its own needs and aspirations. In the Iron Age and earlier, protection was paramount and we can look down from the air into these old ramparts to see the footings of roundhouses crowded together. Protection remained vital for Roman and post-Roman settlements, coupled with the need to be close to land and resources. In the Middle Ages, with walled castle boroughs such as Cowbridge and Conwy, politics became as important as protection with these defended towns projecting a new Anglo-Norman way of living. In recent centuries the pressures of commerce, industry and land ownership have reshaped the communities and landscapes, whether in the dispersed squatter villages of the uplands built by the rural poor on common land, the brand new industrial communities of the north Wales slate fields, and the south Wales coalfield, which arose virtually overnight with the arrival of new prosperity and employment opportunities, or the packed terraces of Victorian and Edwardian streets. From the air we can look down on 6,000 years of Welsh communities and see differences and shared values.

Ffigur 81. Cyferbyniad mewn cymunedau. Casgliad gwasgaredig o fythynnod bach a sefydlwyd ar derfynau'r tir amaethadwy yw Cwm Gorlan, uwchlaw Cwmystwyth yng Ngheredigion, a 'tai newyddion' yw'r enw arno ar fapiau yn y bedwaredd ganrif ar bymtheg. Pentref bach lle cloddid mwyn oedd hwn, ond efallai iddo fod yn wreiddiol yn 'anheddiad sgwatwyr' o dai unnos a godwyd ar dir comin yn y ddeunawfed ganrif. Yn y cwm y tu hwnt iddo ceir tirwedd fawr mwyngloddiau arian a phlwm Cwmystwyth – rhai a gynigiai addewid o waith a bywyd gwell i gymunedau tlawd y fro. Gwahanol iawn i Gwm Gorlan yw'r maestrefi a gynlluniwyd yn gelfydd yn y bedwaredd ganrif ar bymtheg i lenwi maestrefi Treganna yng Nghaerdydd â thai yn null Oes Victoria ac Edward am fod y boblogaeth yno'n tyfu mor gyflym. Mae'r llun (chwith) yn edrych tua'r gogledd dros Lansdowne Road (yn y tu blaen) i'r brif ffordd i'r Bont-faen sy'n rhedeg o'r chwith i'r dde y tu hwnt iddi.

Figure 81. A contrast in communities. Cwm Gorlan above Cwmystwyth in Ceredigion is a dispersed collection of small cottages established at the limits of cultivatable land, named *tai newyddion* or 'new houses' on nineteenth-century maps. This was a lead-mining hamlet but may have originated as a 'squatter settlement' of *tai unnos*, or 'one night houses', hastily erected by squatters on common land during the eighteenth century. In the valley beyond lies the great silver lead mining landscape at Cwmystwyth, which offered the promise of work and a better life to these impoverished rural communities. Cwm Gorlan contrasts radically with the densely-packed but expertly-planned Victorian and Edwardian suburbs of Canton in Cardiff, developed during the nineteenth century to house a rapidly expanding urban population. The view (left) looks north over Lansdowne Road (foreground) to the thoroughfare of Cowbridge Road passing left to right beyond.

Ffigur 82 (uchod). Mae canrifoedd maith yn gwahanu ysgol gymunedol Ysgol Ffridd y Llyn yng Nghefnddwysarn ger y Bala a rhagfuriau glaswelltog Gwersyll Cefnddwysarn. Bu'r fryngaer hon o'r Oes Haearn unwaith yn ganolfan i lwyth neu deulu estynedig, ond mae'r dirwedd o'i hamgylch wedi symud yn ei blaen. Ar draws hen du mewn y gaer codwyd arglawdd cae'n ddiweddar, ac erbyn hyn bydd defaid yn pori lle'r arferai'r milwyr warchod y porth.

Ffigur 83 (de). Fel yr awgryma'r enw, ceir tair carnedd enfawr o'r Oes Efydd yn Foel Drygarn (tri + carn), bryngaer o'r Oes Haearn a godwyd ym mhen dwyreiniol Mynyddoedd y Preseli yn Sir Benfro. Mae'n nodedig canfod ynddi gynifer o lwyfannau cafnedig tai – o leiaf 227 ohonynt. Er gwaetha'r holl anheddu hwnnw – dros rai canrifoedd efallai – ni chloddiwyd y carneddau claddu ar y copa i'w troi'n ddefnydd adeiladu a hynny, hwyrach, am fod parch mawr iddynt fel arwydd o hen awdurdod yr hynafiaid. Mae'r ffaith fod llwyfannau tai i'w cael y tu hwnt i'r rhagfuriau ar y dde yn codi cwestiynau newydd ynghylch cronoleg codi'r amddiffynfeydd.

Figure 82 (above). Separated by generations, Ysgol Ffridd y Llyn community school, at Cefnddwysarn, Bala, is overlooked by the grass-grown ramparts of Cefnddwysarn Camp. The landscape around this Iron Age hillfort, once the base of a powerful clan or extended family, has moved on. Its once busy interior is cut by a recent field bank and sheep now graze where guards protected its gateway.

Figure 83 (right). Foel Drygarn, as its name suggests (tri = three; carn = cairn), is an Iron Age hillfort enclosing three massive Bronze Age cairns. Built at the eastern end of the Preseli hills in Pembrokeshire, the hillfort is remarkable for the dense concentration of scooped house platforms – at least 227 - which crowd the interior. Despite this intense settlement, perhaps spanning several centuries, the burial cairns on the summit were not quarried for building material, perhaps because they were revered as a mark of ancient ancestral authority. House platforms spill beyond the ramparts at right, raising new questions about the chronology of the defences.

Ffigur 84 (uchod). Mae adeilad y cwrt Rhufeinig yn Cold Knap yn y Barri yn agos iawn at lan y môr ac o'i amgylch mae datblygiadau diweddar ar hyd y glannau. Bu Ymddiriedolaeth Archaeolegol Morgannwg-Gwent yn cloddio yma ym 1980-1 ac fe brynodd yr awdurdod lleol yr adeilad enigmatig hwn ar ôl i'r cyhoedd ddangos cryn ddiddordeb ynddo. Mae ef wedi'i gadw, felly, i'r cenedlaethau a ddaw ei edmygu. Er iddo fod, efallai, yn sefydliad arforol i oruchwylio'r masnachu yn yr harbwr bach gerllaw, credai'r cloddwyr ei fod yn debycach o fod yn mansio neu westy Rhufeinig, a bod yr ystafelloedd bach a drefnwyd o amgylch y cwrt agored yn cynnig llety delfrydol.

Ffigur 85 (de). Ar ddiwrnod clir ym mis Gorffennaf 1946, tynnodd ffotograffwyr y Llu Awyr lun o gastell a thref ganoloesol furiog Penfro cyn i lawer o'r datblygiadau tai wedi'r rhyfel ymledu o'u hamgylch. Cafodd y castell ei sefydlu gan Roger de Montgomery ym 1093 a'i ailgodi o gerrig gan William Marshall ar ôl 1204. Saif mewn safle arbennig o dda ar gopa pentir sydd â dyfroedd llanw ar dair ochr iddo. Y tu hwnt i'r castell gallwn weld cynllun tref ganoloesol na fu fawr o newid arno ac fe'i cadwyd gan adeiladau heddiw sydd â phlotiau cul yn rhedeg i lawr i'r muriau o'r adeiladau bob ochr i'r stryd fawr.

Figure 84 (above). Hemmed in by recent waterfront development the Roman courtyard building at Cold Knap, Barry, lies very close to the sea. Excavated in 1980-1 by the Glamorgan-Gwent Archaeological Trust and acquired by the local authority thereafter, following the considerable public interest in its discovery, this enigmatic building has been preserved for future generations to admire. Although it may have been a maritime establishment to oversee trade at the nearby small harbour, the excavators thought it more likely to be a mansion, or Roman guesthouse, with the small rooms arranged around the open courtyard providing ideal accommodation.

Figure 85 (right). On a clear July day in 1946, Royal Air Force photographers capture the castle and walled medieval town of Pembroke largely unencumbered by the spread of post-war housing developments. The castle, founded by Roger de Montgomery in 1093 and rebuilt in stone by William Marshall after 1204, is exceptionally well-positioned at the head of a rising promontory with tidal waters on three sides. Behind the castle we can see the relatively untouched plan of a medieval town, fossilised by present-day buildings, with narrow burgage plots running down to the encircling walls from properties lining the central street.

Ffigur 86. Daeth arglwyddi'r Normaniaid â ffordd newydd o fyw gyda hwy. Yn y Bont-faen a Chonwy fe ddaliwn i weld olion sylweddol eu cestyll a waliau eu bwrdeistrefi. Ar ôl y goresgyniad a chodi cestyll cynnar o goed yn gyflym ledled Cymru, fe olynwyd y rhai strategol-bwysig â chestyll o gerrig. Daeth y cestyll newydd yn ganolbwynt i fasnachwyr ac i'r teuluoedd a ddaeth yno i wasanaethu'r arglwydd a thrin y tir. Ymhen amser, sefydlwyd trefi marchnad llewyrchus. Cafodd y Bont-faen (uchod) siarter ei bwrdeistref gan Richard de Clare ym 1254 ac mae olion ei phlotiau bwrgais, sy'n ymestyn o'r stryd fawr hyd at waliau'r dref, yn dangos iddi gadw ei chynllun canoloesol. Codwyd castell a waliau tref Conwy (de) dan gyfarwyddyd Edward I rhwng 1283 a 1289, ac mae'r waliau cadarn yn dal i wahanu'r dref a'r wlad agored.

Figure 86. The Norman lords brought with them a new way of life. At Cowbridge and Conwy we still see substantial remains of their walled castle boroughs. Following the conquest and the rapid establishment of early timber castles throughout Wales, those with particular strategic strength were consolidated in stone. New castles became focal points for traders and for families who settled to serve the lord and work the land. In time thriving market towns were established. Cowbridge (above) received its borough charter in 1254 from Richard de Clare and retains its medieval plan, with vestiges of burgage plots stretching from the high street to the town walls. The castle and town walls at Conwy (right) were built on the instructions of Edward I between 1283 and 1289, and the impregnable walls still divide town from open country.

Ffigur 87. Mae eira'r gaeaf yn amlygu terfynau Aberhonddu. Codwyd castell tomen-a-beili Aberhonddu yn yr unfed ganrif ar ddeg ar safle rhagorol wrth gymer afonydd Wysg a Honddu. Ar ôl i'r dref ddatblygu marchnad lewyrchus, daeth hi'n brif dref y sir. Yr eglwys gadeiriol gain, a godwyd bellter byr o'r castell, yw un o'r grwpiau mwyaf cyflawn o adeiladau eglwysig yng Nghymru.

Figure 87. Winter snow highlights the limits of Brecon. Founded around an eleventh-century motte and bailey castle, superbly situated at the confluence of the Usk and Honddu rivers, Brecon developed into a thriving market town, later becoming the county town. The fine cathedral, built a short distance from the castle, represents one of the most complete groups of ecclesiastical buildings in Wales.

Ffigur 88. Bydd pob cenhedlaeth yn siapio'i chymuned ei hun, a go brin bod gwell lle i weld hynny nag yn y newid ym mhatrymau'r tai ar Ystâd Dai'r Gaer yng Nghasnewydd. Tynnwyd y llun hwn ym 1933 (de) ac mae'r tai newydd sbon ar hyd grid o ffyrdd cyfochrog o dai pâr yn dringo dros gefnen sydd â bryngaer Gwersyll Tredegar ar ei phen pellaf. Mae'r rhain yn wahanol iawn i'r tai a godwyd yn y 1950au (isod) lle mae'r gwahanol ffyrdd fel petaent yn llifo'n ddidramgwydd ar hyd ochrau'r bryn. Cynlluniwyd y tai modernaidd hyn, mewn terasau sy'n amrywio o ran eu hyd, gan Johnson Blackett, pensaer Cyngor Bwrdeistref Casnewydd, a'r pensaer Alfred Williams, a'u nodwedd arbennig yw'r toeon gwastad ar oledd sy'n ymwthio ychydig ohonynt. Cystal oedd ansawdd a dyluniad y tai nes iddynt ennill gwobr teilyngdod yn Ngŵyl Prydain ym 1951.

Figure 88. Each generation shapes its own community, and in few places is this better demonstrated than in the changing patterns of housing at the Gaer housing estate, Newport. Photographed in 1933 (right), brand new housing with its grid of parallel roads of semi-detached houses crowns a ridge with Tredegar Camp hillfort at its far end. These contrast sharply with the 1950s housing (below) where the widely spaced, sinuous roads, appear to flow freely along the contours. Designed by Johnson Blackett, architect to Newport Borough Council, with architect Alfred Williams, these modernist houses featured distinctively tilting and slightly overhanging flat roofs, in terraces of differing lengths. Such was the quality and design the housing won an award of merit at the Festival of Britain in 1951.

Ffigur 89. Effaith yr arbrofion a wnaed wedi'r Rhyfel ym maes cynllunio trefi – a dewis codi blociau o fflatiau i gartrefu cannoedd o bobl – oedd newid llawer iawn ar olwg tref y Fflint yng ngogledd Cymru. Yn wreiddiol, creodd Edward I y dref ym 1277 yn fwrdeistref amddiffynedig, ac wrth gefn y castell codwyd y mwyaf cymesur o'r trefi newydd ym Mhrydain yr Oesoedd Canol. Ar ôl yr Ail Ryfel Byd, ailwampiwyd calon y dref drwy godi tai cyhoeddus a blociau tŵr yn lletraws i echelin ganoloesol y dref, ac i gyfeiriad gwrthgyferbyniol â safle lletraws eglwys y Santes Fair. Codwyd yr eglwys yn y bedwaredd ganrif ar bymtheg ac mae hi i'w gweld yng nghanol y llun.

Figure 89. Post-war experiments in town planning, and the rise of the tower block as a preferred option for mass housing, left Flint in north Wales radically altered. The town was originally created in 1277 by Edward I as a fortified borough. The castle was backed by the most symmetrical of the new towns in medieval Britain. Following the Second World War, the heart of the town was reshaped by public housing developments and tower blocks, aligned diagonally to the medieval axis of the town, and in opposed alignment to the diagonally sited nineteenth-century church of St Mary's, in the centre of the picture.

Ffigur 90. Yn Ninorwig daw patrymau diwydiant ac amaethyddiaeth benben â'i gilydd yng nghynllun crwydrol y gymuned fynyddig hon. Codwyd rhai o waliau'r caeau a'r bythynnod gwasgaredig cyn i'r diwydiant llechi ehangu'n gyflym yma yn y ddeunawfed ganrif a throi Chwarel Lechi Dinorwig cyn hir yn un o'r rhai mwyaf yn y byd. Rhed darn o reilffordd y chwarel drwy bentref Dinorwig ac ymlaen i'r Felinheli ar lannau'r Fenai. Mae'r tir lle safai tomenni llechi gynt bellach wedi'i dirlunio ac yn ymestyn i'r caeau yn y tu blaen.

Figure 90. At Dinorwig patterns of industry and agriculture collide in the straggling plan of this mountain community. The radiating, accreted patterns of field walls and scattered cottages predate, in part, the explosion in the slate industry witnessed here in the eighteenth century. The adjacent Dinorwic slate quarry soon became one of the largest in the world with a stretch of its railway cutting through Dinorwig village on the way to Port Dinorwic on the Menai Strait. Voids of former slate tips, now landscaped, impinge on the fields in the foreground.

Ffigur 91. Yr heriau a wynebai wahanol gymunedau. Yn Nhreherbert yn y Rhondda (chwith) suddwyd amryw byd o byllau glo gan greu cymunedau newydd sbon. Ganol gaeaf, fel y gwelir yma, bydd y mynyddoedd yn taflu cysgodion hir dros y strydoedd rhewllyd gan adael dim ond Corbett Street a Herbert Street yn yr heulwen (*gweler* Ffigur 32). Ym Mae Colwyn yn y gogledd (uchod), mae marchnadoedd stryd yr haf yn bywiogi'r olwg sydd ar y dref. Yn sgil y dirywiad yng ngwyliau glan-môr traddodiadol Prydain, mae trefi glan-môr enwog yn ei chael hi'n anodd bod mor llewyrchus â chynt.

Figure 91. Challenges faced by different communities. At Treherbert in the Rhondda (left) a community arose in a deep upland valley to be near the collieries which fostered it. In the depths of winter, seen here, the mountains cast long shadows over frozen streets leaving only Corbett and Herbert Streets in the sun (*see* Figure 32). At Colwyn Bay in the north (above) summer street markets enliven the urban scene. With the decline in traditional British seaside holidays, once famous seaside resorts now struggle to retain their former prosperity.

Ffigur 92. Y newidiadau yng ngolwg rhannau mewnol dinasoedd Cymru. Yr oedd castell cyntaf Abertawe yn bod erbyn 1116. Er i lo a chalchfaen gael eu hallforio o'r porthladd yno erbyn 1550, yn ystod y ddeunawfed ganrif a'r ganrif ddilynol y tyfodd Abertawe lawer iawn gan iddi ddatblygu'n ganolfan i ddiwydiannau trwm, a chynhyrchu copr, arsenic a sinc a smeltio tun yn enwedig. Datblygodd rhwydwaith helaeth o reilffyrdd a dociau yno hefyd. Mae'r llun hwn, a dynnwyd ym 1923, yn dangos Eglwys y Santes Fair yn y tu blaen a rhesi o siopiau a thai wedi'u gwasgu blith draphlith i'r tir ar Castle Street a Wind Street a'u cyffiniau. Yn y cefndir mae Doc y Gogledd. Newidiwyd y dref am byth gan y bomio a fu arni yn yr Ail Ryfel Byd (gweler Ffigur 102).

Figure 92. The changing face of Wales' inner cities. Swansea's first castle was in existence by 1116. The port was shipping coal and limestone from the town by 1550, but it was during the eighteenth and nineteenth centuries that Swansea grew significantly, becoming a centre of heavy industry, notably copper, arsenic, zinc and tin smelting, with associated extensive railways and docks. This photograph, taken in 1923 with St Mary's Church in the foreground, shows rows of shops and houses crammed haphazardly in and around Castle Street and Wind Street, with North Dock in the background. The town was changed forever by the effects of bombing in the Second World War (see Figure 102).

Ffigur 93. Codi pentrefi diwydiannol pwrpasol i roi gwell dyfodol i'r gweithwyr. Codwyd pentref diwydiannol Treforys yng Ngwynedd (chwith) ganol y bedwaredd ganrif ar bymtheg i letya gweithwyr chwarel lechi Gorseddau gerllaw. Trefn anarferol y pentref oedd bod yno ddeunaw o dai pâr ar hyd tair stryd, ond go brin bod y cynllun delfrydol hwnnw'n cyd-fynd â'r tir serth a'r traenio gwael ar y darn llwm o weundir y mae'n sefyll arno (gweler Ffigur 36). Mae Oakdale yn y de (de) yn enghraifft ragorol o ardd-bentref, a chodwyd y tai ynddo rhwng 1909 a 1924 ar gyfer gweithwyr Pwll Glo Oakdale yn bennaf. Ffurf pedol oedd i gynllun y pentref ac yr oedd yno rodfeydd coediog, ysbyty, gwesty a Sefydliad y Glowyr. Ailgodwyd yr olaf ym 1995 yn yr Amgueddfa Werin yn Sain Ffagan.

Figure 93. Inspiring industrial villages built to provide workers with a better future. The industrial village at Treforys (left) was built in the mid-nineteenth century to house workers at the nearby Gorseddau slate quarry in Gwynedd. Unusually, it consisted of eighteen semi-detached houses arranged along three streets, but with an ideal plan that hardly matched the severe terrain and poor drainage of the inhospitable tract of upland moor it occupies (see Figure 36). Oakdale in south Wales (right) stands out as a leading example of a garden village and was built between 1909 and 1924 primarily to house workers at Oakdale colliery. The village had an overall horseshoe plan complete with tree-lined avenues, a hospital, hotel and miners' institute, the latter re-erected in 1995 at the National History Museum in St Fagans.

Ffigur 94. Canrif a rhagor o addysg. Cynlluniwyd Ysgol Safon Uwch Aberdâr (de) gan Thomas Roderick ac fe roddodd ef gwpola ac arno ddylanwad y dwyrain arni. Agorwyd yr ysgol ym 1907. Mae ei chynllun yn gymesur: rhan y merched ar y dde a rhan y bechgyn ar y chwith. Rhag i un dim dynnu sylw'r plant, gosodwyd y ffenestri'n uchel yn y waliau o gerrig tywyll lleol. Mae ei chynllun Edwardaidd yn cyferbynnu â llinellau glân cynllun blaengar adeilad Ysgol Arbennig Tŷ Gwyn yng Nghaerdydd (chwith), ysgol i ddisgyblion o dair i bedair ar bymtheg oed sydd ag anableddau difrifol. Talwyd cost codi'r adeilad, £16m, gan Lywodraeth Cymru ac fe'i cynlluniwyd gan dîm dylunio mewnol Cyngor Caerdydd ynghyd â'r penseiri Holder Mathias. Agorwyd yr ysgol arloesol hon yn 2010 ac mae'n cynnwys pyllau hydrotherapi a phyllau sblasio, a gerddi synhwyrus y tu allan iddi.

Figure 94. A century, and more, of education. Opened in 1907 the Aberdare Higher Standard School (right) was designed by Thomas Roderick with a cupola of eastern influence. The school is symmetrical in design operating as two separate parts, with the girls to the right and the boys to the left. The windows are set high in the dark, coursed local stone walls, preventing any distractions from children looking out of windows. Its Edwardian styling contrasts with the clean lines of the cutting-edge Tŷ Gwyn Special School in Cardiff (left), catering for pupils from three to nineteen years of age with severe disabilities. The £16m school was funded by the Welsh Government and designed by Cardiff Council's inhouse design team with Holder Mathias Architects. The innovative school opened in 2010 and includes hydrotherapy and splash pools, and outdoor sensory gardens.

Ffigur 95. Rhwng yr hen domenni llechi i'r gogledd ohonynt (yn y tu blaen) a Llyn Nantlle Uchaf i'r de, codwyd terasau tai a barics chwarelwyr pentref bach Nantlle fel rhan o fuddsoddiad sylweddol yn chwarel lechi Penyrorsedd yn y 1860au. Mae syniadau ynghylch golygfeydd, harddwch a gwerth hanesyddol yr hen gymunedau diwydiannol wedi newid oddi ar 1951, blwyddyn pennu ffin y Parc Cenedlaethol i ddiogelu a hyrwyddo uwchdiroedd gwyntog a chopaon garw Eryri. Yr oedd llu o'r chwareli llechi'n dal i weithio bryd hynny. Rhannwyd Nantlle gan y ffin gan adael y tomenni llechi sydd yn y tu blaen y tu allan i'r Parc Cenedlaethol.

Figure 95. Bounded by old slate tips to the north (foreground), and Llyn Nantlle Uchaf to the south, the terraced houses and quarrymen's barracks of Nantlle hamlet were built as part of a substantial investment in the Pen yr Orsedd slate quarry in the 1860s. Ideas of scenery, beauty and the historic value of former industrial communities have changed since 1951 when the boundary of the National Park was drawn up to protect and promote the windswept uplands and jagged peaks of Snowdonia. Many slate quarries were then still in operation. Nantlle was bisected by the boundary, leaving the slate tips in the foreground outside the National Park.

Ffigur 96. Datblygwyd Price Town yn gyflym dros gyfnod byr mewn ymateb i ffyniant sydyn y diwydiant glo tua diwedd y bedwaredd ganrif ar bymtheg. Mae argraffiad cyntaf mapiau cyfres siroedd yr Arolwg Ordnans ym 1875 yn dangos uwchdir pori heb ddim ond ambell annedd yno. Erbyn yr ail argraffiad ym 1899, mae Price Town i'w weld yn bendant fel un o bentrefi nodweddiadol pyllau glo'r de, sef rhesi cyfochrog o dai teras cryno, fel y dangosir yma yng nghanol y llun. Ar ôl cau pyllau glo Western Ocean a Wyndham ym 1984 gwelwyd adfywio ar y cymunedau yng Nghwm Ogwr i sicrhau eu bod yn goroesi i mewn i'r unfed ganrif ar hugain.

Figure 96. Built in response to the coal-mining boom of the late nineteenth century, Price Town developed rapidly over a short period. The first edition Ordnance Survey county series mapping of 1875 shows an area of upland pasture with just a few dwellings. By the second edition, in 1899, Price Town is clearly defined as a typical south Wales colliery village with its parallel rows of compact terraced housing, shown here in the centre of the photograph. Following the closure of the Western Ocean and Wyndham collieries in 1984 communities in the Ogmore valley have undergone regeneration, ensuring their survival into the twenty-first century.

Ffigur 97 (chwith). Mae'r llinellau gwyrdd yng nghanol y cnydau sy'n aeddfedu yn Sain Dunwyd ym Mro Morgannwg yn dangos y bu yno bentref Brythonig-Rufeinig nad oes cofnod ohono. Rhed tracffordd ganolog o'r brig i waelod y llun hwn, a cheir cyfres o lonydd ochr, llociau eiddo a phyllau yno hefyd. Mae llinellau cyfochrog a chanoloesol y drefn 'grwn a rhych', sydd hefyd yn ymddangos fel olion cnydau, yn rhedeg o'r chwith i'r dde ac yn croesi'r pentref. Efallai mai'r rheiny a helpodd i'w ddileu ganrifoedd yn ôl. Mae darganfyddiadau diweddar gan ganfodyddion metel yn cadarnhau dyddiad tebygol ar gyfer yr anheddiad hwn – cafwyd hyd iddo o'r awyr yn 2006. Yn wreiddiol, yr oedd y pentref yn cynnwys crugiau crwn o'r Oes Efydd yn ei ben gorllewinol (brig, de).

Figure 97 (left). Green lines in ripening crops at St Donats in the Vale of Glamorgan reveal a hitherto unrecorded Romano-British village with a central trackway, running top to bottom in this picture, together with a series of side lanes, property enclosures and pits. The parallel lines of medieval ridge and furrow, also showing as cropmarks running left to right, cross the village and may have helped to erase it centuries ago. Recent metal detector finds confirmed a likely date for this settlement, which was discovered from the air in 2006. The village originally incorporated circular Bronze Age barrows at its west end (top right).

Ffigur 98 (de). Dyma Lanbedr Pont Steffan yn nyffryn Teifi yng Ngheredigion wrth i olau'r gaeaf bylu ddeg diwrnod cyn Nadolig 2008. Serch yr olwg arno, planhigfa ddiweddar yw'r cylch o goed yn y tu blaen yn Lletty Twpa, ac nid bryngaer gynhanesyddol, er bod sawl un o'r rheiny gerllaw.

Figure 98 (right). Lampeter in the Teifi valley, Ceredigion, is seen in the fading light of winter, ten days before Christmas in 2008. Despite appearances, the ring of trees in the foreground at Lletty Twpa is a recent plantation and not a prehistoric hillfort, although several are close by.

Ffigur 99 (uchod). Ail-greu cymuned o gyfnod y Rhyfel. Gwelwyd golygfa anarferol wrth hedfan dros dirwedd Treftadaeth Byd Blaenafon, ei waith haearn cynnar a thai'r gweithwyr. Codwyd Stack Square tua diwedd y ddeunawfed ganrif a'i henwi ar ôl y simnai (sydd bellach wedi'i dymchwel) a safai yn ei chanol. Adferwyd y sgwâr yn ddiweddarach ac yno mae'r ffilmio'n mynd rhagddo ar gyfer rhaglen BBC2 Cymru 'Coal House at War', a osodwyd ym 1944. Mae Cysgodfan Andersen a godwyd o'r newydd, y dillad ar y lein a'r cylch o blant ar eu heistedd i gyd yn rhoi bywyd newydd i'r hen adeiladau hyn.

Ffigur 100 (de). Yn Llanfor ger y Bala y cynhaliwyd Eisteddfod Genedlaethol Cymru yn 2009 ac mae'r meysydd carafanau a'r meysydd parcio yn ymestyn i bob cyfeiriad o'r pafiliwn pinc a'r stondinau masnachol. Yn y pellter gwelir pabell las 'Maes B', gwersyll y bobl ifanc. O dan y caeau hyn, ddwy fil o flynyddoedd ynghynt, sefydlodd y Rhufeiniaid gaer fawr ac iddi dair ffos, ynghyd â phentref neu *vicus*, lle byddai eu milwyr yn ymgynnull cyn mentro ar gyrch i fynyddoedd Eryri.

Figure 99 (above). A wartime community recreated. Aerial reconnaissance over the World Heritage landscape of Blaenavon with its early ironworks and workers' housing, revealed an unusual sight. Within the restored late eighteenth-century Stack Square, so named because of the (now demolished) chimney, which stood at its centre, filming is in progress for BBC2 Wales' 'Coal House at War', set in 1944. A reconstructed Andersen shelter, plus washing on the line and a circle of seated children, lend new life to these old buildings.

Figure 100 (right). The pink pavilion and commercial stands of the National Eisteddfod of Wales are dwarfed by caravans and car parks in this view of the 2009 Eisteddfod held at Llanfor on the outskirts of Bala. In the distance the alternative blue tent of 'Maes B', the young person's campsite, can be seen. Beneath these fields, two thousand years before, the Romans established a large triple-ditched fort, together with a village or *vicus*, as a massing point for campaigns into the mountains of Snowdonia.

6

Gwrthdaro ac Amddiffyn   Conflict and Defence

Ffigur 101. Mewn llun a dynnwyd ar 16 Ionawr 1946 dros Barc Castell Bodelwyddan yn y gogledd, mae heulwen isel y gaeaf yn amlygu patrwm cymhleth ffosydd ymarfer y Rhyfel Byd Cyntaf. Fe'u cynlluniwyd i hyfforddi milwyr ar gyfer y math o ryfela a welent yn y ffosydd ar Ffrynt y Gorllewin. Achos yr amrywiol graterau oedd yr offer ffrwydro a gyflyrai'r milwyr i gadw eu pennau i lawr bob amser. Anafwyd llu o ddynion yn ystod yr ymarferion hyfforddi. Er bod tir llawer o'r rhan ogleddol wedi'i droi erbyn hyn, mae rhannau helaeth o'r system o dair ffos wedi goroesi.

Figure 101. In an image taken on 16 January 1946 over Bodelwyddan Castle Park in north Wales, the complex layout of First World War practice trenches is picked out in low winter sunlight. These were designed to train soldiers for the routine of trench warfare on the Western Front. The numerous craters were caused by explosive charges, conditioning soldiers to keep their heads down at all times. Many men were injured during training exercises. Much of the northern part has now been ploughed out, but extensive parts of the three-trench system survive.

Bu llawer o ymgiprys am dir Cymru. Er i drigolion bryngaerau'r Oes Haearn, mae'n siŵr, fynd ar gyrchoedd cystadleuol ar eiddo'u cymdogion i ddwyn gwartheg a chymryd y dynion yn gaethweision, y Rhufeiniaid fu'r cyntaf i oresgyn gorllewin Prydain â lluoedd trefnus. Collwyd llawer o waed yn y frwydr dros yr hyn sydd heddiw'n Gymru ac mae'r 'gwersylloedd ymdeithio' cymharol brin eu hamddiffynfeydd a godwyd gan y Rhufeiniaid ac sy'n dal i'w gweld ar fryniau'r wlad yn dystiolaeth uniongyrchol bod llu ymosodol wedi bod yn ymgyrchu yma. Ers hynny, mae'r wlad wedi gweld llu o frwydrau a mân ysgarmesoedd. Ym 1642 ymledodd y Rhyfel Cartref i Gymru a chafodd hen gestyll eu haddasu ar gyfer y dulliau rhyfela newydd neu eu dymchwel rhag i neb arall eu defnyddio. Adeg y rhyfeloedd â Ffrainc (1793-1815), yr ofn mawr oedd goresgyniad. Yn ddiweddarach, ar ôl i Louis Napoleon gael ei ethol yn ymherodr Ffrainc ym 1852, dwysaodd yr Arglwydd Palmerston yr ofn hwnnw drwy awgrymu y gallai llu mawr o Ffrancwyr geisio croesi'r Sianel. Tua diwedd y bedwaredd ganrif ar bymtheg, codwyd cyfres aruthrol o dyrau gynnau, barics ac amddiffynfeydd arfordirol na welson nhw byth unrhyw wrthdaro. 'Ffolinebau Palmerston' oedd y llysenw arnynt. Maent yn dal yno ar hyd arfordir Cymru, a'u maint a'u cymhlethdod yn rhwystro ailddefnyddio mwy na dyrnaid ohonynt. Yn yr ugeinfed ganrif bu Prydain yn ymladd mewn dau Ryfel Byd, a gadawodd y rheiny ar eu hôl gofadeiliau a chofebion sy'n fwyfwy bregus ond o gryn ddiddordeb hanesyddol. Mae gwrthgloddiau'r 'ffosydd ymarfer' lle'r hyfforddwyd miloedd ar filoedd o filwyr i ymladd yn y Rhyfel Byd Cyntaf yn dal i fod. Y ffordd orau o'u deall yw o'r awyr, ac mae'r rhai sydd ar dir Cymru yn dwyn i gof yr erchyllterau a ddioddefwyd gan y milwyr cyffredin a anfonwyd i ymladd ar Ffrynt y Gorllewin. Ym 1939 aeth Cymru ati i baratoi ar gyfer rhyfel unwaith eto, a'r tro hwnnw yr oedd bygythiad go-iawn o oresgyniad ar hyd arfordiroedd agored y de a'r gorllewin, ac fe achosodd y bomio o'r awyr ddinistr dychrynllyd i safleoedd diwydiannol a strydoedd dinasoedd. Ymhlith ein harchifau o awyrluniau hanesyddol a dynnwyd gan griwiau awyr milwrol, ac a ddiogelwyd weithiau drwy lwc a dim arall, ceir lluniau sy'n dangos Cymru adeg y rhyfel - Cymru'n cuddio, yn guriedig ac wedi'i thrawsffurfio.

Wales has long been a contested land. Although the inhabitants of Iron Age hillforts no doubt indulged in competitive raids on neighbouring property, stealing cattle and enslaving men, it was the Romans who first brought the unwelcome spectre of a well-organised, hostile invasion force to western Britain. Much blood was spilt in the battle for what is now Wales, and the lightly-enclosed Roman 'marching camps' which survive in the hill country today are first-hand evidence of an aggressive campaigning force on the move. Wales has seen many subsequent battles and skirmishes. In 1642 the Civil War cut through the Principality with old castles modified for new artillery, or demolished to place them firmly beyond use. Real fear of invasion accompanied the wars with France (1793–1815). Later, following the election of Louis Napoleon as the emperor of France in 1852, Lord Palmerston raised fears by suggesting that the French could launch a sizeable invasion force across the channel. In the late nineteenth century a staggering array of gun towers, barracks and coastal defences were constructed, which never saw active service and came to be known collectively as 'Palmerston's follies'. These are still to be seen around the Welsh coast, their vast size and complexity acting as a barrier to successful modern re-use in all but a handful of cases. In the twentieth century Britain was engaged in two world wars leaving a legacy of buildings and monuments that are increasingly fragile but of considerable historical interest. Earthworks of 'practice trenches' survive from the mass training of soldiers for the First World War. Best understood from the air, these monuments on Welsh soil are tangible reminders of the horrors endured by ordinary soldiers sent to fight on the Western Front. In 1939 Wales again prepared for war, this time with the very real threat of invasion along exposed southern and western coasts and with the terrible destruction of industrial assets and city streets through aerial bombardment. Among our historic aerial archives are wartime views, captured by military air crews and sometimes preserved through pure good luck, showing Wales at war – camouflaged, battered and transformed.

Ffigur 102. Oherwydd pwysigrwydd diwydiannol Abertawe bu hi'n darged i gyrchoedd bomio trwm a mynych yn ystod yr Ail Ryfel Byd, ac ar ôl tair noson o fomio yn Chwefror 1941 yr oedd y rhan fwyaf o'i chanol yn chwilfriw a 227 o bobl yn farw. Dyma lun o ganol tref Abertawe ym 1949 ac er bod y rhan ohoni a fomiwyd wedi'i chlirio, prin bod yr ailadeiladu wedi cychwyn (cymharwch hwn â Ffigur 92).

Figure 102. Swansea's industrial importance made it the target of frequent heavy bombing attacks during the Second World War and in February 1941 the Three Nights' Blitz left the centre largely destroyed and 227 people dead. This view shows Swansea town centre in 1949 with the bombed area cleared, but reconstruction barely begun (compare with Figure 92).

Ffigur 103. Oherwydd lliwiau diwedd yr hydref, naws digon prudd sydd i Gofeb Ryfel Genedlaethol Cymru ym Mharc Cathays, Caerdydd. Ninian Comper a gynlluniodd y colonâd Clasurol crwn a syml hwn sy'n agored i'r awyr, a chodwyd y gofeb rhwng 1924 a 1928 i goffáu'r Rhyfel Byd Cyntaf. Fe'i haddaswyd wedyn i goffáu rhyfeloedd diweddarach.

Figure 103. Late autumn colours lend a sombre mood to the Welsh National War Memorial in Cathays Park, Cardiff. This simple circular classical colonnade, open to the sky, was designed by Ninian Comper and built between 1924 and 1928 to commemorate the First World War. It was later adapted for subsequent conflicts.

Ffigur 104 (uchod). Dŵr mwdlyd aber Afon Hafren yn llifo'n brysur heibio i Ynys Echni, ychydig dros 4 cilometr (bron 3 milltir) i'r de o Drwyn Larnog. Dechreuwyd gosod gynnau mawr yno ym 1859 i danio pelenni 80 pwys (36.29 cilogram). I rwystro llongau'r gelyn rhag cyrraedd afon Hafren, yr oedd arciau tanio'r batrïau'n cydgloi ac wedi'u cysylltu ag arciau caerau tebyg ar Ynys Ronech tua'r de a Larnog tua'r gogledd. Ym 1941 fe ddiweddarwyd yr amddiffynfeydd ar Ynys Echni â rhesi o oleuadau chwilio, gynnau dau-bwrpas 4.5 modfedd (114 milimetr) a gynnau Bofors 40-milimetr, ynghyd â safleoedd gynnau Lewis.

Ffigur 105 (de). Codwyd caer West Blockhouse yn y bedwaredd ganrif ar bymtheg wrth y fynedfa i Aberdaugleddau yn Sir Benfro, a bu addasu mawr arni fel safle arfordirol allweddol yn yr Ail Ryfel Byd. Yn y llun hwn, a dynnwyd gan y Llu Awyr Brenhinol ym mis Mai 1941, gwelir amrywiol adeiladweithiau'r cyfnod, gan gynnwys y tro yn waliau concrid y mannau tanio ar Fateri West Blockhouse, uwchlaw'r gaer, a'r barics lletya sydd wedi'u cuddio o'r golwg ar y dde. Addaswyd wal flaen y gaer i ddal dau fatri concrid o oleuadau chwilio, ond mae'r rheiny wedi'u symud oddi yno bellach.

Figure 104 (above). Silt-laden water in the Severn estuary churns past Flat Holm Island, just over 4 kilometres (nearly 3 miles) south of Lavernock Point. Construction of the large gun batteries started in 1859, armed with 80 pounder (36.29 kilogram) rifle muzzle loading guns. To render the Severn impassable to enemy shipping the batteries had interlocking arcs of fire, linked with companion forts on Steep Holm Island to the south and Lavernock to the north. In 1941 the defences on Flat Holm were updated with searchlight batteries, 4.5 inch (114 millimetre) dual purpose guns and 40 millimetre Bofors guns, supported by Lewis gun positions.

Figure 105 (right). The nineteenth-century West Blockhouse Fort, overlooking the entrance to Milford Haven, Pembrokeshire, was heavily modified as a key coastal position in the Second World War. This Royal Air Force image from May 1941 shows various wartime structures, including curving concrete walls of gun casemates of the West Blockhouse Battery, above the fort, together with camouflaged barracks for accommodation to the right. The front wall of the fort has been modified to hold two concrete searchlight batteries, since removed.

Ffigur 106 (chwith). Llong ar ganol cael ei datgymalu ger aber Afon Nedd yn Llansawel ym 1921. Doc bach yw Llansawel a'i ddiben gwreiddiol oedd hwyluso cludo nwyddau rhwng aber Afon Nedd a Chamlas Nedd. Ond datblygodd y doc yn ganolfan datgymalu llongau, yn enwedig wedi'r Ail Ryfel Byd. Er bod y doc wedi'i gau bellach, caiff ambell long ei datgymalu yno o hyd.

Figure 106 (left). A hulk, partly broken up, lies at rest at Giant's Grave, Briton Ferry, 1921. Briton Ferry is a small tidal dock, originally used to trans-ship goods between the Neath River Navigation and the Neath Canal. However, the area became a centre for ship breaking, particularly after the Second World War. Although the dock has now closed, ships are still occasionally scrapped at Giant's Grave.

Ffigur 107 (uchod). Pris dychrynllyd rhyfela. Ddeuddeg diwrnod ar ôl i danciau olew Llanreath yn Noc Penfro gael eu bomio ar 19 Awst 1940 maent yn dal i losgi, a'r mwg du'n lledu dros y cartrefi gerllaw. Collodd pump o ddynion tân eu bywydau yn y digwyddiad hwn – un a ddaeth â'r rhyfel i galon Sir Benfro.

Figure 107 (above). The terrible price of war. Twelve days after they were bombed on 19 August 1940, the Llanraeth oil tanks at Pembroke Dock still burn, billowing black smoke over nearby homes. Five firemen lost their lives in an event that brought war to the heart of rural Pembrokeshire.

Ffigur 109 (de). Ffatri Ordnans Brenhinol Pen-y-bont ar Ogwr, Waterton. Ar ôl astudio potensial yr Almaen i ryfela, penderfynodd llywodraeth Prydain ym 1938 symud Ffatri'r Ordnans Brenhinol o Woolwich. Dewiswyd safle ar gyrion Pen-y-bont ar Ogwr iddi am ei fod yn ddigon pell oddi wrth awyrennau bomio yr Almaen ond o fewn cyrraedd hwylus i borthladdoedd fel Abertawe, Caerdydd a'r Barri. Fe'i gwelir yma ym 1947 cyn ei droi'n safle ystâd fasnachol ac fe'i defnyddiwyd i wneud sieliau i'r llynges. Câi'r rheiny eu llenwi a'u storio dan ddaear mewn rhan arall o'r cyfleuster ym Mracla. Ar eu hanterth, gweithiai rhyw 40,000 o bobl, gan gynnwys llu o fenywod, yn y ddwy ffatri.

Figure 109 (right). Bridgend Royal Ordnance Factory, Waterton. In 1938, the British government, having studied the potential German war machine, decided to relocate the Royal Ordnance Factory from Woolwich. A site was chosen on the outskirts of Bridgend, far enough away from the German bombers, but within easy access of ports such as Swansea, Cardiff and Barry. Seen here in 1947, prior to the conversion of the site to a trading estate, it was used for making naval shells which were filled and stored underground at the other part of the facility at Brackla. At their peak, some 40,000 people, including many women, worked in the two factories.

Ffigur 108. Gan fod cuddio ffatrïoedd awyrennau a safleoedd diwydiannol yn fater o'r pwys pennaf yn yr Ail Ryfel Byd, datblygwyd adran bwrpasol – y Sefydliad Cuddliwio Amddiffynfeydd Sifil – ar sail hen adran guddliwio Gweinyddiaeth yr Awyr ym 1939. Rhoddwyd gwybod i'r prif sefydliadau am gynlluniau peintio arbennig, a rhan o'r cynllun rhyfeddol i guddliwio ffatri weithgynhyrchu Alcoa yn Waunarlwydd i'r gorllewin o Abertawe, lle cynhyrchid llenni alwminiwm i'r diwydiant awyrennau, oedd ceisio rhoi'r argraff mai rhesi o dai teras, ynghyd â'u simneiau, oedd rhannau o'r ffatri.

Figure 108. In the Second World War the camouflaging of aircraft factories and industrial installations became of utmost importance with a dedicated department, the Civil Defence Camouflage Establishment, developed from the Air Ministry's camouflage section in 1939. Specially designed paint schemes were issued for priority establishments and at the Alcoa Manufacturing plant at Waunarlwydd to the west of Swansea, producing aluminium sheet for the aircraft industry, the remarkable camouflage scheme included an attempt to disguise parts of the factory as rows of terraced houses complete with chimneys.

Ffigur 110. Dau wersyll milwrol yn ne Powys, a bwlch o 2,000 o flynyddoedd rhyngddynt. Ym Mhontsenni, mae'r pentref yn newid (chwith). Mae'r llun hwn gan Lu Awyr yr Unol Daleithiau ym mis Mai 1941 yn cofnodi codi Gwersyll Pontsenni, gwersyll a gawsai ei symud y flwyddyn gynt o wersyll o bebyll ger Llywel a oedd 6.5 cilometr (4 milltir) i'r gorllewin. Cynlluniwyd i'r gwersyll newydd gymryd 2,000 o filwyr, a delir i'w ddefnyddio hyd heddiw. Mae'r isadeiledd sydd wedi goroesi o'r 1940au yn rhoi blas i ymwelwyr o Gymru adeg y rhyfel. Cafodd y gwersyll Rhufeinig mawr yn Arosfa Garreg yng ngorllewin Bannau Brycheiniog (de) ei godi gan filwyr Rhufeinig wrth iddynt ymgyrchu yn y de a hynny, mae'n debyg, o ddiwedd y 50au tan tua diwedd y 70au OC. Cynlluniwyd i'r gwersyll gynnig llety dros nos, a thros dro, mewn pebyll, a byddai ef wedi'i godi'n gyflym ar ddiwedd diwrnod o orymdeithio. Mae'r 17.8 hectar (44 erw) o dir ynddo'n cynnwys dau gwm a dyfnant serth Cwm Holdfast.

Figure 110. Two military camps in southern Powys, separated by 2,000 years. At Sennybridge, a village changes (left). This United States Air Force photo from May 1941 records the construction of Sennybridge Camp, moved the year before from a tented camp near Llywel 6.5 kilometres (4 miles) to the west. The new camp was designed to accommodate 2,000 soldiers and is still in use today, where the surviving 1940s infrastructure gives visitors a taste of wartime Wales. The large Roman camp at Arosfa Garreg (right) in the western Brecon Beacons was constructed by Roman soldiers campaigning in south Wales, probably in the late 50s to the late 70s AD. Designed for temporary overnight accommodation in tents, the camp would have been rapidly constructed at the end of a day's march. Its vast 17.8 hectare (44 acre) interior includes two stream valleys, and the steep ravine of Cwm Holdfast.

Ffigur 111. Addasu ar gyfer gwrthdaro. Codwyd caer Rufeinig Tomen-y-mur (chwith) ar safle perffaith ar fryn ger Trawsfynydd ym mryniau Eryri. Bu'n llawer mwy na chanolfan filwrol. Yn y tu blaen, ar y ddwy ochr i'r safle, mae onglau syth maes parêd a wastatawyd. Yn ongl y wal a lôn, ar y dde, gwelir amffitheatr milwrol bach a oedd, efallai, yn ddifyrrwch i gysuro'r milwyr am eu hanfon i le mor anghysbell. Er hynny, yr oedd yno *mansio* neu lety dros nos hefyd, a dangosodd arolwg geoffisegol yn 2009 fod yno, rhwng y gaer a'r amffitheatr, *vicus* neu anheddiad sifil o dai, gweithdai a sefydliadau eraill nad oeddent yn hysbys cynt. Rhwng 1988 a 1990, codwyd pentref newydd (uchod) ar weundir uchel Mynydd Epynt ym Mhowys – un a seiliwyd ar bentref bach nodweddiadol o Orllewin yr Almaen. Delir i ddefnyddio cyfleuster pwrpasol y 'FIBUA' ('Fighting In Built Up Areas') a godwyd o fewn Ardal Hyfforddi Pontsenni i hyfforddi milwyr o bob rhan o'r byd i ymladd mewn mannau trefol, ac mae'n olygfa go annisgwyl ym mryniau'r canolbarth.

Figure 111. Adapting to conflict. Perfectly sited on a prominent hill near Trawsfynydd, in the hills of Snowdonia, the Roman fort at Tomen y Mur (left) was far more than a military base. It is flanked in the foreground by the straight angles of a levelled parade ground. A small military amphitheatre can be seen in the angle of a wall and a lane, at right, perhaps compensating for a remote posting. Yet it was also equipped with a *mansio* or lodging house, while geophysical survey in 2009 revealed a previously unknown *vicus* or civil settlement of houses, workshops and other establishments between the fort and amphitheatre. Between 1988 and 1990, the high moorlands of Mynydd Epynt in Powys acquired a new village (above), based on a typical small village that might be encountered in West Germany. Built within the Sennybridge Training Area, the 'FIBUA' ('Fighting In Built Up Areas') continues to provide a purpose-built training facility for urban combat for soldiers from around the world, and remains an incongruous sight in the hills of mid-Wales.

Ffigur 112 (uchod). Ar fryniau uchel bwlch Hyddgen, o fewn pellter gweld i fynyddoedd Pumlumon yng Ngheredigion, bu brwydr ym 1401 rhwng gwŷr Owain Glyndŵr a byddin o Ffleminiaid o Sir Benfro ac, er bod byddin Glyndŵr yn llai o faint, hi fu drechaf. Er nad yw union leoliad y frwydr yn hysbys, mae tynnu awyrluniau'n dal i fod yn un o'r ychydig ffyrdd o ddogfennu'r darnau helaeth o dir agored lle digwyddodd y gwrthdrawiadau hanesyddol hynny

Ffigur 113 (de). Mae'r rhan olaf o'r hyn y credir iddo fod yn system gynhwysfawr i amddiffyn Caerfyrddin yn yr ail ganrif ar bymtheg yn goroesi ar ffurf gwrthglawdd y Bwlwarc yn rhan orllewinol y dref, ger cyffordd Heol Awst a Lôn Morfa. Serch bod tirwedd y dref wedi newid, mae darn o glawdd a ffos (de) ac un bastiwn (cloddiau onglog, canol) yno o hyd.

Figure 112 (above). The high hills of the Hyddgen pass, within sight of the Plynlimon range, Ceredigion, provided the setting for a battle in 1401 between Owain Glyndŵr's men and a Flemish force from Pembrokeshire, where Glyndŵr's smaller force prevailed. The exact location of the battle is not known but aerial photography remains one of the few ways to document the broad vistas and open country of these historic conflicts.

Figure 113 (right). The surviving fragment of what is thought to have been a comprehensive seventeenth-century defence system for Carmarthen survives as The Bulwarks earthwork in the west of the town, in the angle of Lammas Street and Morfa Lane. A stretch of bank and ditch (right) and one bastion (angled banks, centre) remain in a changed urban landscape.

Ffigur 114. Awyrlun fertigol gan y Llu Awyr o'r rhan ogleddol o faes awyr Llandŵ a'r cyffiniau ym Morgannwg ym mis Rhagfyr 1946. Fe'i defnyddiwyd yn safle i gael gwared ar awyrennau nad oedd eu hangen ar ôl yr Ail Ryfel Byd. Deliodd Llandŵ â chryn dipyn yn fwy o awyrennau na'r disgwyl i sefydliad mor fach. Erbyn 1946 yr oedd fframiau rhyw 856 o awyrennau yno i gael eu sgrapio, gan gynnwys awyrennau bomio fel y Lancaster, yr Halifax, a'r Wellington a nifer fawr o awyrennau Mosquito a Beaufighter. Ni allai hyd yn oed y Spitfires eiconig ddianc rhag cael eu troi'n sgrap.

Figure 114. An RAF vertical aerial photograph of the northern part of Llandow airfield, Glamorgan, and the surrounding area in December 1946. It was used as a dispersal site for aircraft that were no longer needed after the end of the Second World War. Llandow coped with significantly more aircraft than expected for such a small establishment. By 1946 some 856 airframes were waiting to be scrapped, including bombers such as the Lancaster, Halifax, and Wellington, plus large numbers of Mosquito and Beaufighter fighter-bombers. Even iconic Spitfires could not escape being broken up for scrap.

Ffigur 115. Wrth hedfan yn isel dros gwch hedfan Short Sunderland Mark V yn Noc Penfro ym 1955 gwelir llinellau cain yr awyren honno. Pwysai hi 25 tunnell ac yr oedd ganddi bedair injan a chriw o ddeg. Gallai hedfan dros 2,000 o filltiroedd ar y tro. Yr oedd yr awyrennau Sunderland a fu'n hedfan o Sir Benfro yn hanfodol i ymdrech y rhyfel am eu bod yn arsylwi ac yn tynnu lluniau o lonydd mordwyo a chonfois ar draws Môr Iwerydd ac yn adnabod llongau ac 'U-boats' yr Almaen. Ar bob awyren yr oedd bwrdd ciniawa a thoiled o borslen ar gyfer teithiau maith.

Figure 115. A low pass over a moored Short Sunderland Mark V flying boat at Pembroke Dock in 1955 shows the graceful lines of this four-engined, 25-ton reconnaissance aircraft. Carrying a crew of ten, with a range of over 2,000 miles, Sunderlands based in Pembrokeshire were essential to the war effort, engaging in observation and photography of shipping lanes and convoys across the Atlantic, together with the identification of enemy ships and German U-boats. Each aircraft came complete with a dining table and porcelain toilet for long missions.

Ffigur 116. Mae injan awyren ymladd o America, Lockheed P-38, yn tarfu ar y llun hwn o Afon Tywi yng Nghaerfyrddin sy'n edrych tua'r dwyrain dros eglwys a phentref Llangynnwr ar 2 Mawrth 1944. Mae trac hen reilffordd Caerfyrddin ac Aberteifi i'w weld ar y chwith yn y gwaelod, a hwnnw yw llwybr ffordd osgoi Caerfyrddin erbyn heddiw. Mae'r ffaith i'r llun gael ei dynnu gan gamera ar ochr awyren Lightning yn ein hatgoffa o'r criwiau awyr a dynnodd yr holl awyrluniau o gyfnod y rhyfel sydd bellach yn ein harchifau ni. Dywed yr ysgrifen ar ymyl stribed y llun iddo gael ei dynnu gan Sgwadron Chwilio Ffotograffig 30 UDA.

Figure 116. The business end of an American fighter aircraft, a Lockheed P-38, interrupts this view of the River Towy at Carmarthen, looking due east over the church and settlement of Llangunnor, on 2 March 1944. The track of the former Carmarthen and Cardigan Railway is visible at bottom left, now occupied by the Carmarthen bypass. The view is taken from the side-facing port camera pod of the Lightning, reminding us of the aircrews who lay behind every wartime reconnaissance view now in our archives. The annotations on the edge strip of the photograph tell us that it was taken by the US 30 Photographic Reconnaissance Squadron.

Ffigur 117. Wrth i'r tywod ar Forfa Harlech symud yn 2007 gwelir gweddillion y *Maid of Harlech*, un o'r ychydig iawn o olion cyfan awyren Lightning P-38 Americanaidd yn y byd. Oherwydd camgymeriad wrth gyflenwi tanwydd iddi, bu'n rhaid i'r peilot, y Lefftenant Robert R. Elliot o Ogledd Carolina, geisio glanio ar frys ym mis Medi 1942. Collodd yr awyren ben blaen un o'i hadenydd, ond chafodd y peilot mo'i anafu. Gadawyd yr awyren yno ar ôl tynnu'r gynnau ohoni. Yn ystod cyfnod o lanw isel yn 2007, daeth yr olion i olau dydd unwaith eto am gyfnod byr a chael eu hastudio gan arbenigwyr o Brydain ac America. Dogfennodd y Comisiwn Brenhinol yr olion ar brynhawn cymylog ym mis Hydref wrth i'r tîm o archwilwyr yn eu gwisgoedd pwrpasol ymadael â'r safle ar ddiwedd diwrnod arall.

Figure 117. Wartime survivor the *Maid of Harlech*, one of the very few intact remains of an American P-38 Lightning in the world, emerges from shifting sands on Morfa Harlech in 2007. A fuel supply error forced the pilot, Lt. Robert R. Elliot of North Carolina, to attempt an emergency landing in September 1942 which sheared off a wingtip, but left the pilot unhurt. The plane was abandoned after the guns had been removed. During low tides in 2007 the wreck was exposed once again for a brief period of study by British and American specialists. The Royal Commission documented the wreck on an overcast October afternoon as the wetsuited team left the site for another day.

139

Ffigur 118. Cynllun nodweddiadol patrwm "D" oedd i'r Fagnelfa Wrth-Awyrennau Drom a godwyd yn Gravel Bay i amddiffyn aber afonydd Cleddau yn Sir Benfro rhag cyrchoedd bomio'r Luftwaffe. Fe'u codwyd tua 1942 ac yr oedd gwn Marc II 3.7 modfedd (94 milimetr) ym mhob un o'r pedwar lle tanio. Yr adeilad petryal oedd y Safle Rheoli, a rheolid y gynnau drwy gyfrwng rhagfynegydd mecanyddol a gyfrifai uchder a chyflymdra awyrennau'r gelyn wrth iddynt agosáu. Addaswyd y lle tanio uchaf i'r gwn allu cael ei droi i lawr i danio allan i'r môr a'i alluogi felly i amddiffyn y traeth hefyd. Gerllaw mae gweddillion dau le saethu awyrennau a phymtheg ar hugain o sylfeini cytiau.

Figure 118. Showing the typical "D" pattern layout of a Heavy Anti-Aircraft Battery, Gravel Bay defended the Milford Haven waterway in Pembrokeshire from Luftwaffe bombing raids. Constructed about 1942, each of the four gunpits had a 3.7 inch (94 millimetre) Mark II gun. The rectangular building was the Command Post, controlling the guns by means of a mechanical predictor to calculate the height and speed of approaching enemy aircraft. The topmost gunpit was oriented to allow the gun to be depressed for firing out to sea, doubling up as a beach defence gun. Nearby there are the remains of two light anti-aircraft holdfasts and thirty-five hut bases.

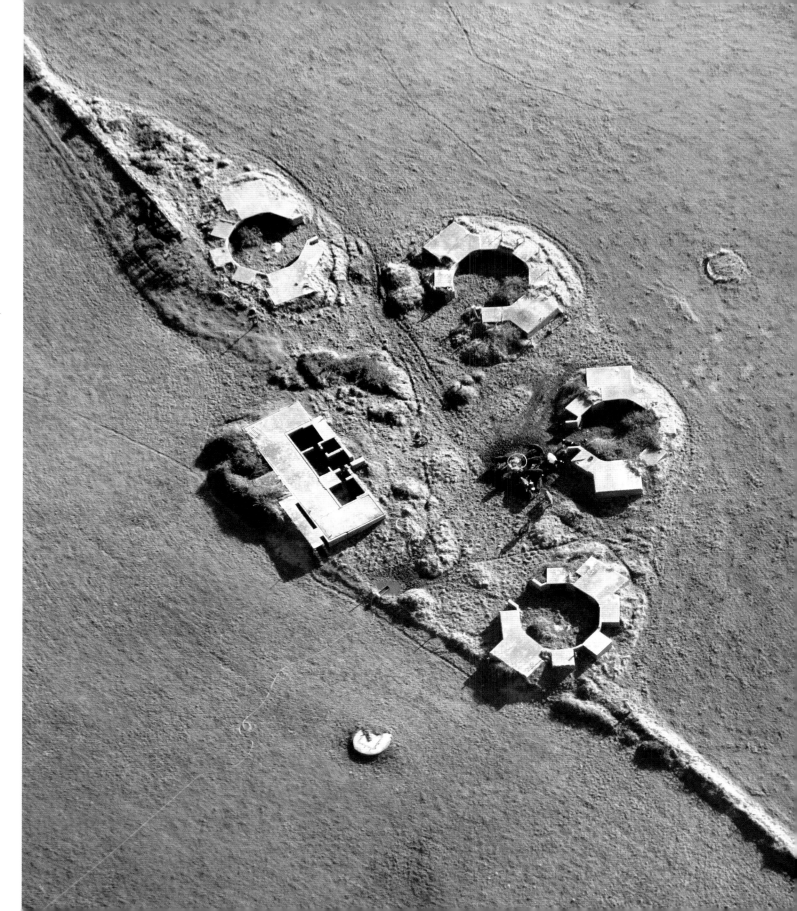

Ffigur 119. Arferai'r ciwbiau gwrth-danciau hyn ym Mae Limpert i'r gorllewin o Orsaf Bŵer Aberddawan ym Morgannwg fod yn rhan o'r amddiffynfeydd a godwyd gan Reolaeth y Gorllewin rhag i'r Almaenwyr ymosod o Iwerddon. Maent yno er gwaethaf deg mlynedd a thrigain o wynt a thonnau'r môr. Gan i rai o'r ciwbiau, sy'n cynnwys chwe 'pillbox' fel rhan o'r llinell amddiffynnol, gael eu llofnodi gan y milwyr a fu'n gweithio ynddynt ym 1940-1, maent yn rhan bersonol iawn o hanes yr Ail Ryfel Byd.

Figure 119. Forming part of Western Command's 'coastal crust' anti-invasion defences, built against the perceived threat of German attack from Ireland, these surviving anti-tank cubes at Limpert Bay, west of the Aberthaw power station in Glamorgan, have weathered over seventy years of wind and waves. Some of the cubes, which incorporate six pillboxes as part of the defensive line, were signed by the soldiers who worked on them in 1940-1 and thus represent a very personal history of the Second World War.

7

Ffydd

Belief

Ffigur 120. Y gred yw bod yr eglwys gadeiriol yn Nhyddewi yn Sir Benfro wedi'i chodi yn y ddeuddegfed ganrif ar safle llawer hŷn, a hwnnw'n safle mynachlog a gawsai ei chodi gan y Cymry yn y nawfed ganrif yn ganolfan i ddilynwyr cwlt Dewi Sant. Saif yr adeilad presennol mewn pant ar lan afon Alun, ac ar y llethr gerllaw mae porth deudwr Porth y Tŵr a waliau clos yr eglwys gadeiriol – waliau sydd bron yn gyfan. Tynnwyd y llun ar noson o hydref ac mae ongl y golau'n amlygu pantiau bas y beddau dienw ar y llethrau y tu mewn i'r clos.

Figure 120. The twelfth-century cathedral of St David, Pembrokeshire, is believed to occupy the much older site of a ninth-century Welsh monastery and cult centre of St David for followers of the saint. The present cathedral occupies a hollow on the banks of the river Alun, overlooked by the twin-towered gateway of Porth y Tŵr and the largely intact walls of the cathedral close. This picture was taken on an autumn evening with raking light highlighting shallow dimples of unmarked graves on the grassy slopes inside the close.

Gan i rym eu ffydd ysgogi dynion a menywod ar hyd yr oesoedd i gyflawni rhyfeddodau, mae Cymru wedi llwyddo i gadw rhai o'r enghreifftiau gwychaf o'i threftadaeth adeiledig, a hynny er gwaethaf amser, dirywiad a newid. Er bod tai'r tlodion gwledig wedi'u colli oddi ar gof gwlad ers tro byd, gall cylch o feini moel o'r Oes Efydd neu fwâu uchel Abaty Sistersaidd ddal i sefyll yn gofadail i ddyhead cymuned ac i'r gorchestion y gellir eu cyflawni pan fydd llu o bobl yn cydweithio. Cofadeiliau i'r meirw yw'r rhai mwyaf gweladwy ac amlwg sydd wedi goroesi o'r Oesoedd Neolithig ac Efydd cynhanesyddol - cyfnod pryd y sicrheid bod hir gartrefi'r meirw'n gadarnach o lawer na thai'r byw. Os yw hi'n anodd dod o hyd i dystiolaeth am fywyd beunyddiol, gall claddedigaethau fod yn ffynhonnell bwysig o wybodaeth archaeolegol. Boed o gyfnod y Rhufeiniaid, yr Oesoedd Canol neu ganrifoedd diweddar, gall dull, cyfeiriad a chyfoeth claddedigaeth ddweud llawer wrthym am gredoau a chefndir y meirw a'r gymdeithas ehangach y buont yn rhan ohoni. Yn sgil y chwyldro diwydiannol a'r twf enfawr ym mhoblogaeth y de a chymunedau ffyniannus eraill, gwelwyd cynnydd mawr mewn codi eglwysi a chapeli ac yn yr angen i greu mynwentydd newydd. Wrth i boblogaethau, diwydiannau a chymdeithas newid, gostwng wnaeth y galw am filoedd o fannau unigol o addoliad. Heddiw, felly, mae Cymru'n wynebu'r her o ddod o hyd i ffyrdd newydd o ddefnyddio rhai o'r adeiladau amlycaf yn ein cymunedau gwledig a threfol. Drwy gofnodi a dogfennu'r adeiladau hynny a'u cyffiniau ar lawr gwlad, a thynnu awyrluniau manwl ohonynt, bydd modd cyfleu eu hanes i'r oesoedd a ddêl.

The power of belief has encouraged extraordinary endeavour from the hands of ordinary men and women over millennia, leaving Wales with some of its finest examples of built heritage, which have endured time, decay and change. Where the houses of the rural poor have long since been lost from memory, the gaunt stones of a Bronze Age circle or lofty arches of a Cistercian abbey may yet stand as a monument to communal aspiration and the remarkable feats that can be achieved when many work towards a common purpose. Monuments to the dead are the most visible and prominent survivors from the prehistoric Neolithic and Bronze Ages, a time when the construction of houses for the living was rarely accorded similar permanence. Where evidence of daily life is difficult to find, burials can be a key source of archaeological information. The method, orientation and wealth of the burial, whether from Roman, medieval or recent centuries, can tell us much about the beliefs and background of the dead and of the wider society of which they were once part. Following the Industrial Revolution, the massive growth in population seen in south Wales and other burgeoning communities brought with it a rapid increase in the building of churches and chapels, and a requirement for new cemeteries. As populations, industries and society have changed so the requirement for thousands of individual places of worship has waned. Today Wales is faced with a challenge of finding new uses for some of the finest buildings in our rural and urban communities. Through specialist recording and documentation on the ground, as well as detailed aerial photography, these buildings and their environs can be captured for posterity.

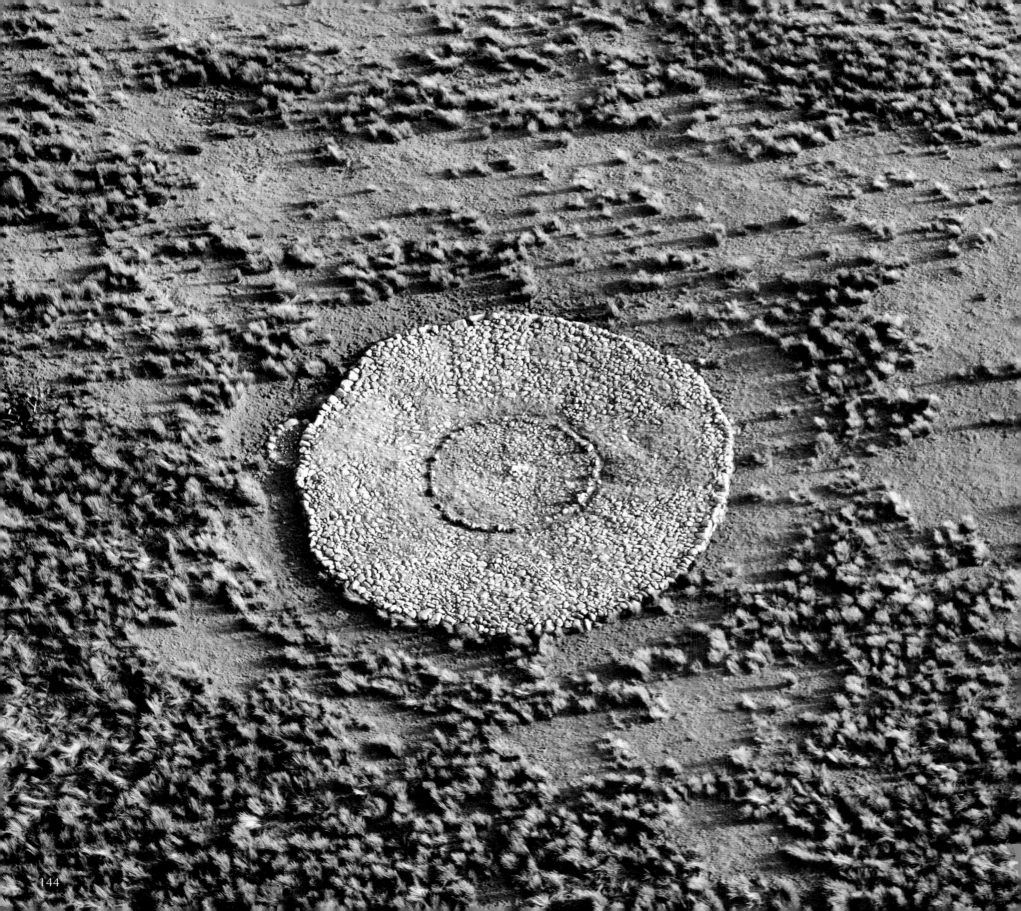

Ffigur 121 (chwith). Brenig 51 yw enw'r llwyfan cylchog hwn i'r meirw, ac mae'n gylch palmantog 23-metr o led uwchlaw cronfa ddŵr Llyn Brenig yng ngogledd-ddwyrain Cymru. Fe'i cloddiwyd gan Frances Lynch yn 1973-5 ac mae'n un o henebion mwyaf rhyfeddol y Gymru gynhanesyddol am na welir mohoni tan yr ychydig gamau olaf tuag ati. Codwyd y garnedd mewn dau gam yn fuan ar ôl 2000 CC. I gychwyn, yr oedd y llwyfan ehangach yn amgáu canol agored lle safai cylch perffaith o chwech ar hugain o gerrig bach a phostyn mawr o bren. Yn ddiweddarach, llenwyd canol yr heneb i greu llwyfan cyfan.

Figure 121 (left)). Circular platform to the dead, this 23 metre paved circle known as Brenig 51 overlooks Llyn Brenig reservoir in north-east Wales. Excavated by Frances Lynch during 1973-75, it is one of the most remarkable monuments of prehistoric Wales, remaining invisible from all but the closest approaches. The cairn was built in two stages shortly after 2000 BC. Initially the wider platform enclosed an open centre, in which stood a perfect circle of twenty-six small stones and a large wooden post. Later the centre of the monument was filled to produce a complete platform.

Ffigur 122 (de). Ar linell tracffordd hynafol ar frig cefnen ger chwareli bwyeill cerrig Neolithig Graig Lwyd, Penmaen-mawr, cyfyd Meini Hirion ymysg crugiau, carneddau cerrig a chylchoedd llai. Dyma un o'r henebion defodol gwychaf o'r Oes Efydd yng Nghymru. Mae rhyw ddeg o'r meini'n dal i sefyll yn unionsyth mewn cylch ar arglawdd. Ym 1958 dadlennodd gwaith cloddio gan W. E. Griffiths o'r Comisiwn Brenhinol fod yno gistfaen ganolog a adeiladwyd 'yn ofalus tu hwnt'. Ynddi, yr oedd llestr bwyd ac esgyrn corff plentyn deg i ddeuddeg oed a gawsai ei amlosgi; yn ei hymyl yr oedd claddedigaeth amlosgi arall ac ynddi esgyrn plentyn rhwng un ar ddeg a thair ar ddeg oed.

Figure 122 (right). On the line of an ancient ridge-top trackway, close to the Neolithic stone axe quarries of Graig Lwyd, Penmaenmawr, the Druids' Circle stands proud among barrows, stone cairns and smaller circles, as one of the finest Bronze Age ritual monuments in Wales. Some ten stones remain upright, set in an embanked circle. Excavations in 1958 by W. E. Griffiths of the Royal Commission revealed a central cist, built with 'meticulous care', containing a food-vessel urn and the cremated bones of a child of ten to twelve years of age; close by a second cremation burial contained the bones of a child aged between eleven and thirteen.

Ffigur 123 (chwith). Yn haf 2005, wrth i'r cnydau o amgylch eglwys ganoloesol Sant Baglan yng Ngwynedd aeddfedu, gwelwyd olion cnydau annisgwyl, sef amryw o ffosydd a llociau. Saif yr eglwys hynafol hon ger yr arfordir wrth ymyl traeth y Foryd, ac ynddi mae maen arysgrifedig o tua diwedd y bumed neu ddechrau'r chweched ganrif. Er y gallai'r olion cnydau ddynodi ffosydd anheddiad amddiffynedig a chynhanesyddol ar yr arfordir, y posibilrwydd cyffrous yw bod yma anheddiad eithaf pwysig o'r Oesoedd Canol cynnar. Ni ddatgelir gwir ddyddiad yr olion cnydau tan y gwneir arolwg geoffisegol neu waith cloddio yma.

Figure 123 (left). Ripening crops around the medieval church of St Baglan, Gwynedd, revealed unexpected cropmarks of multiple ditches and enclosures in the summer of 2005. This ancient church, which contains a later fifth- or early sixth-century inscribed stone, occupies a coastal position at the edge of the tidal inlet of Foryd Bay. Although the cropmarks could represent ditches of a prehistoric coastal defended settlement, the tantalising possibility exists that this is an early medieval settlement of some importance. Only future geophysical survey or excavation will reveal the cropmarks' true date.

Ffigur 124 (uchod). Mae Ynys Seiriol yn codi 58 metr uwchlaw'r môr mewn dyfroedd llanw ffyrnig ac mae iddi glogwyni serth o galchfaen Carbonifferaidd. Yn yr Oesoedd Canol a'r oesoedd cynt, bu'n encilfa i fynachod. Yng nghysgod tŵr eglwys o'r ddeuddegfed ganrif sydd i'w weld yn codi o lystyfiant yr haf ar yr ynys fach hon, mae cyfres gymhleth o adeiladau mynachaidd sydd, mae'n debyg, wedi goroesi oddi ar yr Oesoedd Canol cynnar. Credir bod ganddi gysylltiadau â thŷ Awstinaidd Priordy Penmon ar y tir mawr gerllaw.

Figure 124 (above). Rising 58 metres above the sea in fierce tidal waters, the steep carboniferous limestone cliffs of Priestholm, or Puffin Island, provided seclusion for monks in medieval and earlier times. Thought to have early medieval origins, and associated with the Augustinian house of Penmon Priory on mainland Anglesey, a complex range of monastic buildings survive on this small island in the shadow of the twelfth-century church tower, which stands out among the summer vegetation.

Ffigur 125. Mae mynwent amlenwadol fawr Cathays yng Nghaerdydd wedi cael gofal da ers ei hagor yn Oes Victoria. Cadwyd y rhan fwyaf o'i phatrwm gwreiddiol a cheir ynddi lu o gofebion cywrain a diddorol o 1859 ymlaen. Codwyd tai bob ochr iddi ac mae adeiladau Ysbyty'r Mynydd Bychan i'w gweld yn y cefndir. Yma, mae anghenion y meirw'n dal i gynnig llecyn gwyrdd braf, agored a gwerthfawr wrth galon y ddinas fodern.

Figure 125. Cathays Cemetery is a well-preserved, large, Victorian multi-denominational cemetery, retaining most of its original layout and many elaborate and interesting memorials dating from 1859 onwards. Cutting a swathe through Cardiff, hemmed in by housing and the Heath Hospital complex in the background, the needs of the dead continue to provide a green lung, and a valued open space, in the heart of the modern city.

Ffigur 126. Gweddnewidiwyd tirwedd amaethyddol Cwm Rhondda yn gyflym yn ystod hanner cyntaf y bedwaredd ganrif ar bymtheg am fod yma dros bymtheg a thrigain o byllau glo erbyn 1893. Wrth i'r boblogaeth dyfu o 951 ym 1851 i 55,632 ym 1881, daeth hi'n amlwg nad oedd digon o le ym mynwentydd yr eglwysi a'r capeli. Oherwydd yr argyfwng hwnnw, cafwyd cyfres o Ddeddfau Claddu o 1853 ymlaen i alluogi awdurdodau lleol i ddarparu Mynwentydd Bwrdeistrefol. Ym 1881 prynwyd darn o dir o'r enw Llethr Du. Mae dros 92,000 o gyn-drigolion y Rhondda wedi'u claddu yn y fynwent dangnefeddus a chymen hon uwchlaw Trealaw, gan gynnwys rhyw 160 o bobl a laddwyd yn ystod y ddau Ryfel Byd.

Figure 126. The transformation of the Rhondda from an agricultural landscape in the first half of the nineteenth century to one containing more than seventy-five collieries by 1893 was a rapid one. Mirrored by population growth (951 in 1851 to 55,632 in 1881), it became clear that graveyards of churches and chapels alike were at capacity. In response to this crisis, a series of Burial Acts, commencing in 1853, authorised the provision of municipal cemeteries by local authorities and in 1881 a parcel of land known as Llethr Du was purchased. Over 92,000 residents of the Rhondda are interred in this peaceful and well maintained hillside plot overlooking Trealaw, including some 160 casualties of the two world wars.

Ffigur 127. Eglwys a chapel yn Llangennech yn Sir Gaerfyrddin. Gan i achos cynnar y Bedyddwyr yn Sir Gaerfyrddin ddenu cynifer o ddilynwyr, sefydlwyd tai cwrdd yn Llangennech o 1650 ymlaen a chodwyd Capel Salem ym 1740. Saif yr adeilad presennol mewn man amlwg yn y dref ac mae'n waith pensaer capeli o fri, Thomas Thomas, ym 1878. Ynghyd â'r adeilad trawiadol sydd â thri llawr iddo, ceir casgliad o adeiladau: ysgol Sul a mans, tŷ capel, stablau a mynwent. Mae adeiladau o'r fath yn cyfleu hyder cynyddol y cynulleidfaoedd anghydffurfiol wrth iddynt herio eiddilwch yr eglwys sefydledig. Yn wahanol i gapeli llewyrchus yr anghydffurfwyr, disgrifiwyd eglwys Sant Cennych erbyn 1708 yn un 'heb gwpan cymun na ffiol' a bod angen 'gwydr ar y ffenestri' ac atgyweirio 'waliau'r fynwent'.

Figure 127. Church and chapel in Llangennech, Camarthenshire. The strength of the early Baptist cause in Carmarthenshire led to the foundation of meeting houses in Llangennech from 1650, and the construction of Capel Salem in 1740. Located on a prominent site within the town, the current building, designed by the eminent chapel architect Thomas Thomas in 1878, is an imposing three-storey structure with an impressive complex of Sunday school, manse, chapel house, stables and burial ground. Such buildings illustrate the growing confidence of the nonconformist congregations visibly to challenge the already weakened position of the established church. St Cennych's, in contrast to the flourishing chapels of the dissenters, was by 1708 described as with 'no chalice and no flagon', and 'the windows wanted glazing, and the 'churchyard walles' were out of repair.

Ffigur 128. Bu sefydlu capel anghydffurfiol yn ddylanwad mawr ar un o lu pentrefi Cymru. Yn wreiddiol, anheddiad bach o'r enw Glanogwen oedd Bethesda. Wrth i Chwarel y Penrhyn ffynnu yn y bedwaredd ganrif ar bymtheg, fe ehangodd y pentref yn gyflym. Agorwyd cynifer â 10 o gapeli yn y dref, gan gynnwys Bethesda, capel yr Annibynwyr (chwith, isaf) a godwyd ym 1820. Yr oedd y cynulleidfaoedd anghydffurfiol yn frwd o blaid defnyddio enwau Beiblaidd a chredent fod enwau o'r Hen Destament yn arbennig o bwysig. Yn y llun hwn yn unig, felly, ceir Jerusalem (uchod, de), Bethesda a Siloam (sydd bellach wedi'i ddymchwel; cyfeiriai'r ddau olaf at byllau iacháu) wedi'u clystyru ynghyd â'r Tabernacl (sydd bellach wedi'i ddymchwel; dyma'r enw a gofnodwyd amlaf ar gapeli Cymru) i gyd o fewn tafliad carreg i'r brif stryd.

Figure 128. One of numerous settlements across Wales whose name has been influenced by the foundation of a nonconformist chapel, Bethesda was originally a small settlement called Glanogwen. Rapid expansion in the nineteenth century owing to the prosperous Penrhyn quarry led to the presence of no fewer than ten chapels in the town, including Bethesda Independent (lower left) built in 1820. The use of Biblical names was highly favoured by nonconformist congregations, those of the Old Testament considered particularly important. Hence in this view alone, Jerusalem (upper right), Bethesda and Siloam (now demolished; the latter two referring to healing pools) clustered together with Tabernacle (now demolished; the most commonly recorded chapel name in Wales), within a stone's throw of the high street.

Ffigur 129 (chwith). Gofod cysegredig yn sgil y goresgyniad. Ym 1984, daeth awyrluniwr Prifysgol Caergrawnt o hyd i deml Gâl-Rufeinig ar orlifdir Fferm Llancaeo, Gwehelog, i'r gogledd o Frynbuga (brig). Yr oedd adeilad crwn mawr o fewn ei chyffiniau. Rhwng 2009 a 2011 mae gwaith chwilio o'r awyr gan y Comisiwn Brenhinol wedi dod o hyd i ragor o safleoedd, gan gynnwys un o wersylloedd gorymdeithio mwyaf y Rhufeiniaid yng Nghymru (gwaelod). Dyma'r un cyntaf sydd wedi'i gofnodi yn Sir Fynwy ac mae'n llwyr amgáu safle'r deml ddiweddarach. Awgryma'r trefniant hynod anarferol hwn fod ymgyrchoedd milwrol y Rhufeiniaid wedi mynd ati'n fwriadol i gipio safle cysegredig a ddyddiai o'r Oes Haearn a chodi teml arno. Ar ran o'r safle erbyn hyn mae fferm haul newydd. (gweler Ffigur 14).

Figure 129 (left). A sacred space, defined by conquest. Cropmarks of a Gallo-Roman temple, containing a great circular building within a precinct, were discovered on a flood plain north of Usk at Llancayo Farm, Gwehelog, by Cambridge University in 1984 (top). Aerial reconnaissance by the Royal Commission between 2009 and 2011 has made more discoveries, including one of the largest Roman marching camps in Wales, the first known from Monmouthshire, which completely encloses the site of the later temple (bottom). This highly unusual arrangement suggest that a pre-existing Iron Age sacred site was deliberately occupied during military campaigns, then developed into a temple by the Romans. The site is now partly occupied by a new solar farm. (see Figure 14).

Ffigur 130 (de). Sefydlwyd Abaty Nedd ym 1130 ar gyfer cymuned o fynachod o Urdd Savigny, ac ym 1147 daeth yn rhan o urdd fynachaidd y Sistersiaid wrth i honno ehangu. Yr oedd yr adeiladau'n adfeilion erbyn tua dechrau'r ddeunawfed ganrif. Wedi hynny, ehangodd Castell-nedd fel canolfan ddiwydiannol, ac o bopty'r adfeilion fe ymgasglodd ffatrïoedd, Camlas Tennant (de) a hyd yn oed drac beiciau modur yn y 1950au. Ym 1944 rhoddwyd yr adfeilion yng ngofal y wladwriaeth. Mae'r llun yn dangos y safle yn 2010 o dan haen ysgafn o eira sy'n amlygu'r mân wrthgloddiau yng ngwair y gaeaf y tu hwnt i adeiladau'r abaty.

Figure 130 (right). Founded in 1130 for a community of Savigniac monks, and in 1147 absorbed into the rapidly expanding Cistercian monastic order, Neath Abbey was in ruins by the early eighteenth century. Thereafter Neath expanded as an industrial centre, with the ruins gradually hemmed in by factories, the Tennant Canal (right) and even a speedway track in the 1950s. In 1944 the ruins were taken into state care. This view shows the site under a light dusting of snow in 2010, highlighting slight earthworks in the winter grass beyond the abbey buildings.

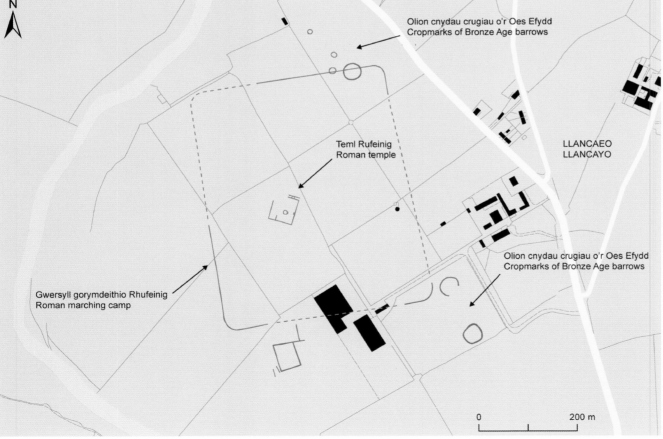

N

Olion cnydau crugiau o'r Oes Efydd
Cropmarks of Bronze Age barrows

Teml Rufeinig
Roman temple

LLANCAEO
LLANCAYO

Olion cnydau crugiau o'r Oes Efydd
Cropmarks of Bronze Age barrows

Gwersyll gorymdeithio Rhufeinig
Roman marching camp

0   200 m

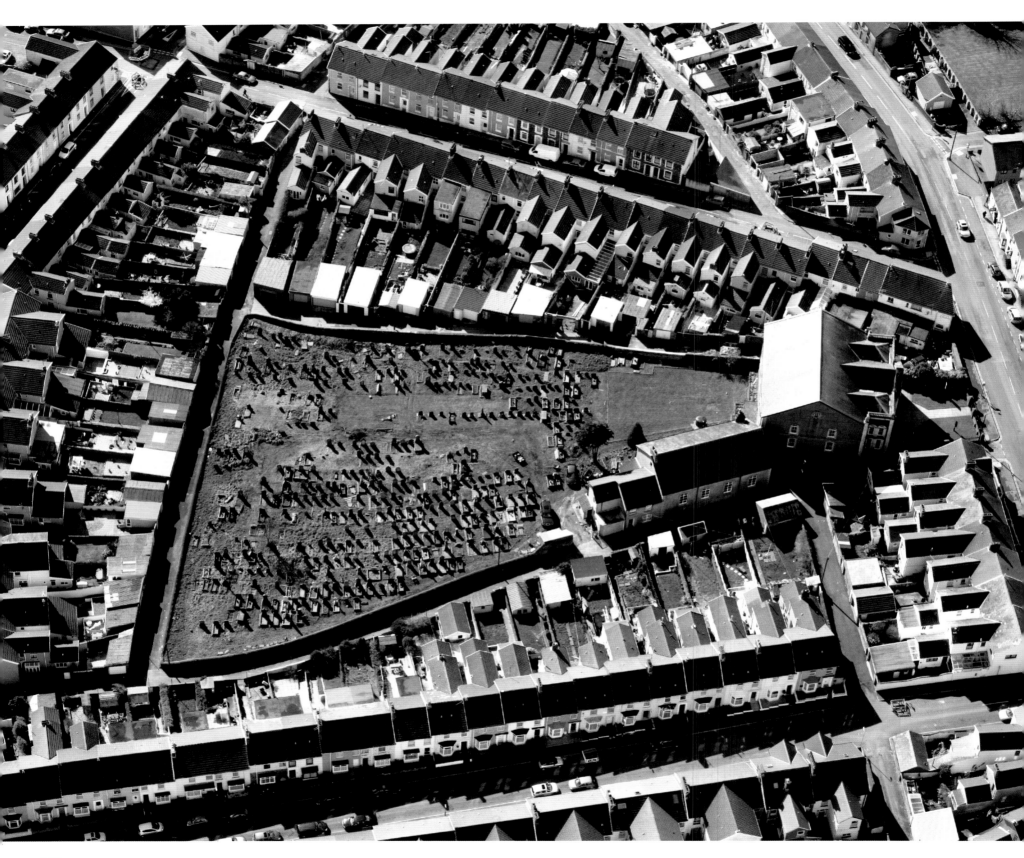

Ffigur 131 (chwith). Byw a marw yn Llanelli. Gan i'r Methodistiaid Calfinaidd dyfu'n rhy fawr i'w safle yng nghanol y dref, fe fanteision nhw'n llawn ar gynnig Sgweier y Strade ym 1809 iddynt godi capel a chreu mynwent fawr ar Gae Halen ar gyrion y dref. Yn ddiweddarach, cafodd Capel Newydd, a welir yma yn 2008, ei ehangu deirgwaith yn ystod hanner cyntaf y bedwaredd ganrif ar bymtheg, ac mae'r fynwent wedi llanw'n raddol. Erbyn y 1880au, dechreuodd tref Llanelli ymledu hyd at y capel, a thros yr hanner canrif wedi hynny codwyd terasau o dai'r gweithwyr o amgylch y safle. Arweiniodd hynny at ddefnyddio cornel o'r fynwent i godi ysgol Sul a festri ym 1901.

Ffigur 132 (uchod). Yng nghanol Pennal yng Ngwynedd ceir dau gapel mawr ac amlwg yn ymyl ei gilydd. Gan i'r mwyafrif o boblogaeth Cymru gofrestru'n anghydffurfwyr erbyn canol y bedwaredd ganrif ar bymtheg, ac oherwydd creu amrywiaeth o enwadau anghydffurfiol a defnyddio'r Gymraeg a'r Saesneg, gwelwyd codi mwy a mwy o gapeli, hyd yn oed yn y pentrefi lleiaf. Yma, capel yr Annibynwyr o 1816 ymlaen oedd Carmel, a chapel y gynulleidfa o Fethodistiaid Wesleaidd Saesneg oedd Pennal. Peth digon cyffredin oedd gweld yr enwadau'n cystadlu â'i gilydd i ehangu eu hadeiladau a chodi rhai mwyfwy crand dro ar ôl tro. Er bod y capeli hyn, o'r awyr, yn debyg o ran eu maint a'u crandrwydd, yr oedd gan Garmel ddwywaith cymaint o seddau ac yr oedd yn werth mwy na phedair gwaith gwerth Pennal. Ni ddefnyddir y naill na'r llall ohonynt bellach.

Figure 131 (left). Life and death in Llanelli. Having outgrown their town centre site, the Calvinistic Methodists took full advantage of the Squire of Stradey's offer of Cae Halen on the outskirts of the town to build a chapel and burial ground unconstrained by space in 1809. Capel Newydd, seen here in 2008, was subsequently expanded three times in the first half of the nineteenth century, while the sizable burial plot has gradually filled. By the 1880s urban Llanelli began to advance on the chapel, and over the following fifty years the rows of workers' terraced houses enclosed the site, leading to the addition of the Sunday school and vestry in 1901 which encroached on a corner plot of the burial ground.

Figure 132 (above). In the centre of Pennal, Gwynedd, two large show-front chapels sit side by side. With the majority of the population in Wales registering as nonconformist by the middle of the nineteenth century, coupled with the variety of dissenting denominations and the use of both the Welsh and English languages, there was a proliferation of chapel building within even the smallest of settlements. Here, Carmel on the left served the *Annibynwyr* (Independents) from 1816 while Pennal Chapel catered for an English-speaking Wesleyan (Methodist) congregation. It was not uncommon for denominations in such instances to compete, multiple rebuildings expanding and increasingly aggrandising the building. Hence, while these chapels look comparable from the air in terms of size and grandeur, Carmel had over double the seating capacity and more than four times the value of Pennal. Neither chapel is now in use.

Ffigur 133 (uchod). Wrth edrych i lawr gwelir y garnedd hir a siambrog sydd wedi goroesi'r canrifoedd maith ym Mharc le Breos, Gŵyr. Ceid claddedigaethau cymunedol yma tua 3800 CC. Yn y 1960au cafwyd hyd i weddillion o leiaf ddeugain o unigolion, a pharodd hynny, ynghyd â thystiolaeth bod cigysyddion wedi bod yno, i archaeolegwyr blaenllaw ddod i'r casgliad y gall y cyrff fod wedi'u 'dignodio', neu eu gadael yn yr awyr agored i golli eu cnawd, cyn iddynt gael eu claddu yn y dramwyfa dywyll sydd â tho iddi ac yn y siambrau bach ar yr ochr.

Figure 133 (above). Looking down on an ancient survivor, the chambered long cairn at Parc le Breos, Gower, was used for communal burial around 3800 BC. Remains of at least forty individuals were excavated here in the 1960s, along with evidence for scavenging by carnivores, leading archaeologists to conclude that bodies may have been 'excarnated', or allowed to deflesh outside, before internment in the dark, roofed passageway and small side chambers.

Ffigur 134 (de). Sefydlwyd Abaty Sistersaidd Ystrad Fflur ym 1164 a chafodd nawdd gan yr Arglwydd Rhys o Ddeheubarth. Mae ymchwiliad archaeolegol diweddar wedi dechrau olrhain hanes manwl cyffiniau'r Abaty. Mae'r adfail anghysbell hwn yn gyforiog o hanes Cymru: credir i gopi o *Frut y Tywysogyon* gael ei lunio yma, a'r gred draddodiadol yw mai yn y fynwent gerllaw, a amlygir yma dan eira trwm mis Rhagfyr 2010, y mae bedd y bardd Dafydd ap Gwilym.

Figure 134 (right). The Cistercian abbey of Strata Florida was founded in 1164 and came under the patronage of the Lord Rhys of Deheubarth. Recent archaeological investigation has begun to piece together the detailed history of the abbey precinct. This remote ruin is steeped in Welsh history; it is believed that a copy of *Brut y Tywysogyon* (Chronicle of the Princes) was written here, and the adjacent graveyard, picked out here under heavy snow in December 2010, is traditionally believed to be the resting place of the medieval poet Dafydd ap Gwilym.

Ffigur 135 (chwith). Mae gan eglwys gadeiriol Llandaf hanes maith o newid ac ailddatblygu rhwng ei sefydlu'n eglwys ym 1107 a'i statws hi heddiw'n gadeirlan Esgob Llandaf. Er ei bod hi'n cynnwys elfennau canoloesol, fe ddioddefodd ar law Glyndŵr a Cromwell a chael ei difrodi'n enbyd gan fomiau yn yr Ail Ryfel Byd. Wedi hynny, fe'i hadferwyd gan y pensaer George Pace. Er y delir i gyfeirio at 'ddinas Llandaf' serch na fu'r lle erioed yn fwy na phentref, fe'i hymgorfforwyd yn nhiriogaeth ei chymydog mawr – Caerdydd – ym 1922.

Ffigur 136 (uchod). Mae tri meindwr gwyn teml Shri Swaminarayan Mandir yn codi uwchlaw terasau tai Grangetown yng Nghaerdydd. Adeiladwyd y deml yn null teml Hindŵaidd draddodiadol, ac mae pob tŵr yn codi uwchlaw allor. Ym 1982 yr agorodd hon, y deml Swaminarayan gyntaf yng Nghymru, a rhoddwyd ei gwedd bresennol arni yn dilyn gwaith ailwampio mawr rhwng 2005 a 2007.

Figure 135 (left). Llandaff Cathedral has a long history of change and redevelopment, from its foundation as a church in 1107 to its present status as the seat of the Bishop of Llandaff. The cathedral incorporates medieval elements but suffered both at the hands of Glyndŵr and Cromwell before being heavily damaged by aerial bombardment in the Second World War, after which it was restored by the architect George Pace. Still referred to as the 'city of Llandaff' but never larger than a village, the settlement was incorporated into its larger neighbour – Cardiff – in 1922.

Figure 136 (above). Three white spires in the style of a traditional Hindu temple, each marking an altar inside the building, shine out above the terraced houses of Grangetown in Cardiff, from the Shri Swaminarayan Mandir temple. This, the first Swaminarayan temple in Wales was opened in 1982, and acquired its distinctive appearance following major refurbishment work between 2005 and 2007.

Ffigur 137. Bryniau i'r meirw. Ym Mryn-celli-ddu ym Môn, mae ymwelwyr yn crwydro wrth fynedfa'r beddrod cyntedd a godwyd yn y cyfnod Neolithig Diweddar. Ar doriad gwawr Gŵyl Ifan (canol haf) bydd pelydryn o oleuni'n goleuo siambr ganolog dywyll y beddrod hwn. Yn y twll yng nghanol y llun ceid maen ac arno gerfiadau dolennog hudol - peth prin iawn yn y Gymru gynhanesyddol. (Uchod) Carnedd y Gop yw heneb gynhanesyddol fwyaf Cymru, a'r unig rai sy'n fwy na hi yw twmpathau cynhanesyddol Silbury Hill a Marlborough Mount yn ne Lloegr. O'r llwyfandir uchel hwn o galchfaen ar arfordir y gogledd ger Prestatyn ceir golygfa eang iawn, a chredir i'r garnedd gael ei chodi yn ystod y cyfnod Neolithig Diweddar neu'n gynnar yn yr Oes Efydd. Er na lwyddodd siafft a suddwyd i'w chanol yn y bedwaredd ganrif ar bymtheg daflu fawr o oleuni ar ei diben gwreiddiol, mae'n amlwg bod arwyddocâd aruthrol i'r lle. Yn Ogof y Gop yn y tu blaen, cafwyd hyd i sgerbydau dynol a fflintiau a chrochenwaith cynhanesyddol.

Figure 137. Hills for the dead. At Bryn Celli Ddu on Anglesey, visitors mingle around the entrance to the Late Neolithic passage tomb whose dark central chamber is illuminated by a shaft of light on midsummer sunrise. The pit in the centre of the photograph contained a stone with sinuous magical carvings, a rarity in prehistoric Wales. (Above) The Gop cairn is Wales' largest prehistoric monument and only surpassed in size by the prehistoric mounds of Silbury Hill and the Marlborough Mount in southern England. It commands a mighty vista from its elevated limestone plateau on the north coast of Wales, close to Prestatyn, and is thought to have been raised during the Late Neolithic or Early Bronze Age. A shaft sunk to its centre in the nineteenth century shed little light on its original purpose but it was clearly a place of enormous significance. The Gop cave in the foreground has produced human skeletons, prehistoric flints and pottery.

8

Diwydiant

Industry

Diwydiant

Ffigur 138. Ar un adeg, chwarel lechi'r Penrhyn oedd un o'r rhai mwyaf yn y byd, ac yn y bedwaredd ganrif ar bymtheg bu'n fodd i'w pherchnogion ymgyfoethogi'n enbyd (gweler Ffigur 65). Mae hi'n graith go fawr ar ddyffryn Nant Ffrancon yn Eryri. Yn y 1890au, bu'r chwarel yng nghanol y frwydr i sicrhau isafswm cyflog yn y diwydiant ac fe helpodd dwy streic faith ym 1896 a 1900 i osod y mudiad Llafur ar ei draed yn y gogledd-orllewin. Mae'r chwarel yn dal i fod ar waith heddiw.

Figure 138. At one time among the largest slate quarries in the world, and providing enormous wealth for its nineteenth-century owners (see Figure 65), Penrhyn cuts a ragged scar at the head of the Nant Ffrancon in Snowdonia. In the 1890s, the quarry found itself at the heart of the struggle for a minimum wage in the industry. Two prolonged strikes in 1896 and 1900 helped to define the Labour movement in north-west Wales. Penrhyn remains operational today.

Prin yw'r agweddau ar y dirwedd sydd wedi newid cymaint yn barhaol yn ystod y tair canrif ddiwethaf â'r rhai sy'n ymwneud â diwydiant. Gan fod cryn gyfoeth o fwynau ynghladd yn naeareg gadarn bryniau a mynyddoedd Cymru, doedd ond angen y dechnoleg a'r dyfalbarhad i'w hecsbloetio. Er bod tystiolaeth o waith mwyngloddio o'r cyfnod cynhanesyddol a chyfnod y Rhufeiniaid i'w chael mewn sawl rhan o Gymru, cyrraedd yn sydyn tua diwedd y ddeunawfed ganrif ac yn y ganrif ddilynol wnaeth diwydiant yn y mwyafrif o gymunedau cefn gwlad a gweddnewid llawer iawn ar dir amaethyddol a golygfeydd cyfarwydd bron dros nos. Mewn rhai mannau, darfod a diflannu'r un mor gyflym fu hanes y diwydiant. Oddi ar y 1960au, mae'r rhaglenni i gau'r pyllau glo, a dirywiad y diwydiant llechi, wedi gweld llawer o'r dystiolaeth amlwg o ddiwydiannau yn darfod o'r tir. Mae awyrluniau hanesyddol a diweddar yn dal, felly, i fod yn un o'r dulliau mwyaf uniongyrchol o gofnodi tirweddau ac adeiladweithiau anferth – weithiau – y diwydiannau ac yn fodd i batrymau a degawdau o weithio ac ailweithio eang gael eu dehongli a'u deall yn well. Mewn rhai achosion, megis dymchwel Ffatri Rwber Bryn-mawr yn 2001, mae awyrluniau wedi cadw am byth eiliadau olaf adeilad hanesyddol wrth i'r broses o'i ddymchwel gychwyn.

Few aspects of the landscape have undergone greater permanent change in the last three centuries than those concerned with industry. The solid geology of Wales embedded considerable mineral wealth in its mountains and hills, simply awaiting the technology and tenacity to exploit it. Prehistoric and Roman mining is attested in several parts of Wales, but for most rural communities industry arrived suddenly in the late eighteenth and nineteenth centuries, radically transforming farmland and familiar vistas virtually overnight. In some parts its demise and disappearance has been equally sudden. Since the 1960s, colliery closure programmes and the demise of the slate industry have seen much of the physical evidence of industry swept away. Aerial photography, both historic and recent, remains one of the most immediate methods of recording the sometimes vast landscapes and structures of industry, allowing wide-spreading patterns and decades of working and reworking to be interpreted and better understood. In some cases, such as the demolition of the Brynmawr rubber factory in 2001, aerial photography has captured for posterity the final moments of a historic landmark just as the bulldozers move in.

Ffigur 139 (chwith). Mae'r llun hwn o Weithfeydd Dur Glynebwy ym 1972 yn dangos mor anferth oedd hen ddiwydiannau trwm Cymru. Ym 1789-90 y sefydlwyd y gwaith haearn cyntaf yn y dref a dechreuwyd cynhyrchu dur yma yn ystod y bedwaredd ganrif ar bymtheg. Yma y rholiwyd y cledrau dur cyntaf yn y byd ym 1857, a rhwng 1868 a 1880 moderneiddiwyd llawer ar y gwaith i ddefnyddio proses Bessemer o fasgynhyrchu. Wedi i gynhyrchu dur ddod i ben yn y 1970au, fe arbenigwyd ar rolio a haenu coiliau dur o weithfeydd dur Llan-wern a Phort Talbot. Bu dymchwel gweddill y gwaith yn 2005 yn ddiwedd ar 200 mlynedd a rhagor o gynhyrchu haearn a dur yn y dref.
.

Figure 139 (left). The colossal scale of Wales' former heavy industries can be seen in this 1972 photograph of the Ebbw Vale steelworks. The first ironworks in the town originated in 1789-90 and during the nineteenth century, Ebbw Vale began steel production. The world's first steel rail was rolled here in 1857, and between 1868 and 1880 the works were extensively modernised to make use of the Bessemer process of mass production. Steelmaking ceased in the 1970s, after which the site specialised in rolling and coating coil steel produced at Llanwern and Port Talbot steelworks. Its demolition by 2005 marked the end of over 200 years of iron and steel manufacturing in the town.

Ffigur 140 (de). Gwawr newydd i ddiwydiant. Yr oedd Ffatri Rwber Bryn-mawr yn enghraifft arbennig o dda o bensaernïaeth cyfnod 'Gŵyl Prydain'. Fe'i codwyd rhwng 1945 a 1951 ac ychwanegwyd ati'n ddiweddarach. Y nodwedd wreiddiol fwyaf trawiadol oedd y to concrid ac aml-gromen enwog dros brif ofod gweithio'r llawr cyntaf. Dyma'r adeilad cyntaf a godwyd wedi 1939 yng Nghymru i'w restru, ac mae awyrluniau hanesyddol yn archif CHCC yn dangos ei godi ac, yn y pen draw, ei ddymchwel ym mis Mehefin 2001. Drwy dynnu lluniau mewn parau arosgo stereo 3D bydd modd i'r to cromennog unigryw gael ei astudio ymhell i'r dyfodol.

Figure 140 (right). A new dawn for industry: the Brynmawr rubber factory was an exceptionally fine example of 'Festival of Britain' period architecture. Built between 1945 and 1951, with later additions, the most impressive original feature was the famous multi-domed concrete roofing over the main first floor working area. The first post-1939 building in Wales to be listed, historic aerial photographs in the NMRW archive show both its construction, and its eventual demolition in June 2001, the latter captured in 3D stereo oblique pairs to allow study of the unique domed roof long into the future.

Ffigur 141. Mewn cwm anghysbell ar yr uwchdir, mae'r tomenni gwastraff bob ochr i'r ceunentydd dwfn yn rhedeg i lawr y llethr serth ac yn arwydd mai cynnyrch mwyngloddio sydd yma. Un o'r dulliau hynaf o fwyngloddio yw codi argae neu storio dŵr ar ben llethr ac yna'i ryddhau i olchi ymaith y pridd a'r graig a dinoethi'r haenau o fwyn – proses o'r enw 'sgwrio'. Dangosodd gwaith cloddio ar Fryn Copa yng Nghwmystwyth i fwyngloddio gychwyn yno'n gynnar yn yr Oes Efydd. Yn 2002, ar waelod y llethr, daeth archaeolegwyr o hyd i ddisg haul Banc Tynddôl, disg sy'n 4,000 oed ac yn eithriadol o brin. Hi yw'r eitem gynharaf o aur y cafwyd hyd iddi yng Nghymru.

Figure 141. In a remote upland valley, spoil tips flanking deep gullies running down a steep valley side belie their mining origin. The process of damming or storing water at the head of a slope, and releasing it downhill to wash away overburden and expose ore seams, is one of the oldest methods of mining, referred to as 'hushing' or 'scouring'. Excavations at Copa Hill, Cwmystwyth, showed Early Bronze Age origins for the mining, while in 2002 archaeologists discovered the exceptionally rare 4,000 year old Banc Tynddôl sun disc at the foot of the slope, the earliest gold artefact found in Wales.

Ffigur 142. Gynt, chwarel lechi Sain Ffraid yn Abereiddi yn Sir Benfro oedd y 'Pwll Glas', ac yr oedd cysylltiad rhwng y chwarel a phorthladd pentref Porth-gain gerllaw. Mae'r olion sydd wedi goroesi yn edrych allan dros y pwll ac yn dangos safle'r hen beiriandy a'r adeiladau eraill a oedd yn gysylltiedig â gwaith y chwarel.

Figure 142. The 'Blue Lagoon' at Abereiddi in north Pembrokeshire was formerly the St Brides slate quarry, linked to the nearby harbour village of Porthgain. Surviving ruins, overlooking the pool, show the former site of the engine house and other buildings associated with the quarry operations.

Ffigur 143.   Adeiladwyd Doc Gogledd Alexandra yng Nghasnewydd ym 1875 a Doc De Alexandra ym 1914. Delir i ddefnyddio'r ddau ohonynt heddiw i symud cymysgedd o nwyddau i mewn ac allan o'r wlad. Dyma lun ohonynt ym 1947 lle mae llongau mawr yn aros i drenau ddod â llwythi o lo o gymoedd y de. Yn y tu blaen gwelir tai a rhandiroedd gweithwyr y dociau a'u teuluoedd mewn cyfnod pryd y byddai'n rhaid aros tan fis Gorffennaf 1954 i'r dogni ar fwyd ddod i ben (gweler Ffigur 34).

Figure 143.   The North and South Alexandra Docks at Newport were constructed in 1875 and 1914 respectively and are both still in use today handling mixed inward and outward cargoes. Here photographed in 1947, great ships lie in wait for shipments of coal to arrive by rail from the South Wales valleys. The houses and allotments of the dockworkers and their families, then still affected by the food rationing that did not end until July 1954, can be seen in the foreground (see Figure 34).

Ffigur 144. Ar hyd Camlas Sir Forgannwg, a adeiladwyd ym 1798, y câi haearn o Ferthyr Tudful ei gludo i'w allforio drwy'r hyn a oedd, ar y pryd, yn bentref Caerdydd. Ehangodd Caerdydd yn gyflym o'r 1830au ymlaen gan dyfu bron 80 y cant bob degawd rhwng 1840 a 1870. Tyfodd y dociau'n ganolfan fasnachol ac yn brif borthladd allforio glo o gymoedd afonydd Rhondda, Cynon, Taf a Rhymni. Yma, ym 1921, mae llongau mawr (gan gynnwys rhai llongau hwylio) wedi heidio i Ddoc Dwyrain Bute lle mae cannoedd o wagenni rheilffyrdd yn aros i gael eu dadlwytho. Simneiau Gwaith Dur East Moors (uchod, chwith) sy'n codi uwchlaw'r dociau.

Figure 144. The Glamorganshire Canal, built in 1798, brought iron from Merthyr Tydfil for export through what was then the village of Cardiff. Cardiff expanded rapidly from the 1830s, growing at a rate of nearly 80 per cent each decade between 1840 and 1870, and the docks became the commercial centre and the main port for exports of coal from the Rhondda, Cynon, Taff, and Rhymney valleys. Here, in 1921, great ships (including some sailing vessels) crowd into the Bute East Dock, while hundreds of railway wagons wait to be unloaded. The chimney stacks of East Moors steelworks (top left) watch over the docklands.

Ffigur 145. Dyma lun o Bwll Glo Gresffordd ym Maes Glo Sir Ddinbych lai na mis ar ôl un o'r trychinebau gwaethaf yn hanes pyllau glo Prydain. Yr oedd dwy siafft i'r pwll a rhyw 60 metr rhyngddynt. Âi'r naill a'r llall i lawr i ddyfnder o 690 o fetrau. Gelwid siafft y gogledd yn 'Dennis' ac un y de yn 'Martin'. Ar 22 Medi 1934 lladdwyd 266 o lowyr mewn ffrwydrad a thân dan ddaear yn siafft Dennis. Ailagorwyd Gresffordd chwe mis ar ôl y drychineb ac ailddechreuwyd cynhyrchu glo yno'n gynnar ym 1936. Ond nid ailagorwyd mo siafft Dennis. Fe'i seliwyd gan adael cyrff y 254 o laddedigion yno'n barhaol. Caeodd y pwll ym 1973.

Figure 145. Gresford colliery, in the Denbighshire coalfield, photographed less than a month after one of the worst mining disasters in British history. The pit had two shafts, some 60 metres apart and each sunk to a depth of 690 metres: the downcast (north) was known as the 'Dennis' and the upcast (south) was called the 'Martin'. On 22 September 1934 a major underground explosion and subsequent fire in the Dennis shaft killed 266 miners. Gresford reopened six months after the disaster and coal production resumed early in 1936. The Dennis section, however, never reopened and the bodies of 254 of the victims were permanently sealed in. The colliery closed in 1973.

Ffigur 146. Y Maerdy: diwydiant yn diflannu. Gwladolodd y llywodraeth Lafur y diwydiant glo ym 1947. Ddwy flynedd yn ddiweddarach, cyhoeddodd y Bwrdd Glo Cenedlaethol gynlluniau i lwyr ailadeiladu hen bwll glo'r Maerdy yng nghwm afon Rhondda fach. Wedi i'r hen bwll gau ym 1940, dilëwyd y mwyafrif o olion yr hen bwll wrth adeiladu pwll glo â'r cyfleusterau trydan diweddaraf. Daeth cloddio'n annibynnol am lo i ben ym 1986 pan gysylltwyd pwll y Maerdy â Glofa'r Tŵr yng Nghwm Cynon. Aeth y glowyr olaf yng Nghwm Rhondda i waelod y pwll am y tro olaf ar 21 Rhagfyr 1990 a dyna ddiwedd pwll glo olaf cwm Rhondda. Mae'r ddau lun hyn ym mis Mawrth 1990 a mis Hydref 1992 yn dangos yn glir sut y cliriwyd y diwydiant, y gwaith a chydymwybyddiaeth y bobl oddi yno.

Figure 146. Maerdy: an industry vanishes. The coal industry was nationalised by the Labour government in 1947. Two years later, the National Coal Board announced plans to rebuild completely the derelict Maerdy colliery in the upper Rhondda Fach. Having closed in 1940 the construction works swept away most traces of the original pithead and an all-electric, state-of-the-art colliery was built in its place. Independent mining came to an end in 1986 when Maerdy was linked with Tower colliery in the Cynon valley. The last miners in the Rhondda descended to pit bottom on 21 December 1990. The last pit in the Rhondda was no more. These two views of March 1990 and October 1992 graphically illustrate the clearance of a place of industry, work and collective consciousness.

Ffigur 147 (chwith). Dyma lun rhyfeddol o Bwll Mawr Blaenafon wrth iddo ddeffro i wynebu wythnos waith arall. Fe'i tynnwyd yn gynnar ar fore Llun clir ym mis Mai 1947 o un o awyrennau'r Awyrlu Brenhinol. Yma, gwelir pentref diwydiannol Forge Side yn y canol, a dangosir lleoliad y pwll gan bwll dŵr - ar ffurf esgid - sydd wedi diflannu erbyn hyn. Gwelir y tomenni gwastraff uchel a godai uwchlaw'r Pwll Mawr a Blaenafon cyn i domenni glo gael eu clirio wedi'r rhyfel. Daeth cynhyrchu glo yn y Pwll Mawr i ben ym 1980 ac mae'r pwll yn awr yn gangen o Amgueddfa Cymru.

Figure 147 (left). A remarkable Royal Air Force sortie, flown early one Monday morning on a clear day in May 1947, records Big Pit in Blaenavon as it wakes for another working week. This view shows Forge Side industrial village in centre frame, and the colliery indicated by a boot-shaped pond, which has since been removed. This view documents the towering, pyramidal spoil tips that overshadowed Big Pit and Blaenavon prior to post-war clearances. Production ceased at Big Pit in 1980 and the colliery is now a branch of Amgueddfa Cymru – National Museum Wales.

Ffigur 148 (de). Mae haen ysgafn o eira'n amlygu tomenni glo mawr Pwll Glo Dyffryn Rhondda yng Nghwm Afan i'r gogledd o Faesteg. Suddwyd y pwll rywbryd cyn 1880 ac fe'i caewyd ym 1966-7. Arllwyswyd y gwastraff dros dir ffermio ac mae'r pedair tomen gyda'i gilydd yn mesur rhyw 600 metr o'r gogledd i'r de ac yn un o'r cofadeiliau prin i ddiwydiant glo Cymru.

Figure 148 (right). A dusting of snow picks out the great surviving coal tips of Duffryn Rhondda colliery, situated in Cwm Afan north of Maesteg, sunk sometime prior to 1880 and closed in 1966-67. Dumped across pre-existing farmland, the four tips together measure some 600 metres north/south and stand as a rare surviving monument to the Welsh coal industry.

Ffigur 149. Cymru'n camu i'r oes atomig. Tynnodd yr Awyrlu Brenhinol lun o Atomfa Trawsfynydd yng Ngwynedd adeg ei chodi ym mis Mai 1960, a cheir llun ardderchog ohoni gan Aerofilms yn ystod ei blwyddyn lawn gyntaf o wasanaeth ym 1966. Bu'n cynhyrchu trydan am chwarter canrif a rhagor tan iddi gael ei datgomisiynu ym 1991. Fe'i codwyd rhwng 1959 a 1963 ar sail manylebau pensaernïol Syr Basil Spence, a dyma'r atomfa sifil gyntaf ym Mhrydain i beidio â bod ar lan y môr. O'r llyn y tu hwnt iddi y tynnid y dŵr i oeri'r ddau adweithydd Magnox. Gorchuddiwyd adeiladau anferth (60 metr o uchder) yr adweithyddion mewn paneli concrid ac fe'u cynlluniwyd i ymdebygu i gastell mawr a fyddai'n cyd-fynd â'r lleoliad trawiadol hwn ym Mharc Cenedlaethol Eryri. Yn ddiweddarach, bu'r Fonesig Sylvia Crowe wrthi'n tirlunio ac yn plannu yma.

Figure 149. Wales enters the atomic age. Recorded by the Royal Air Force under construction in May 1960, and in a splendid Aerofilms image from 1966 during its first full year of service, Trawsfynydd Nuclear Power Station in Gwynedd generated electricity for over a quarter of a century before it was eventually decommissioned in 1991. Constructed between 1959 and 1963 to architectural specifications by Sir Basil Spence, it was the first inland civil nuclear power station in Britain and drew water for cooling the twin Magnox reactors from the lake beyond. The vast, 60 metre-high reactor buildings were clad in textured concrete panels and designed to resemble a great castle that would complement the grand setting of Snowdonia National Park. The grounds were later landscaped and planted by Dame Sylvia Crowe.

Ffigur 150. Dŵr a daear: bu boddi Cwm Tryweryn i greu Llyn Celyn, cronfa ddŵr enfawr i ddarparu cyflenwad cyson o ddŵr i ddinas Lerpwl, yn bwnc hynod ddadleuol ac fe gyffrôdd ddicter mawr ledled Cymru. Gwelir yr argae enfawr o bridd adeg ei adeiladu ym 1963 (chwith) ac mae'n codi ymhell uwchlaw cerbydau a thai'r gweithwyr yn y tu blaen. Ar y chwith yn y llun mae gwely trac hen reilffordd y Bala a Ffestiniog a gaewyd ym 1960 er mwyn i'r cynllun fynd yn ei flaen. Câi ei ddefnyddio'n ffordd adeiladu erbyn hynny. Yn fuan ar ôl cwblhau'r gronfa ym 1965 (de), llifodd y dŵr iddi a boddi deuddeg fferm a phentref Capel Celyn.

Figure 150. Water and earth: the flooding of the Tryweryn valley to create Llyn Celyn, a vast reservoir to provide a constant water supply to the city of Liverpool, was deeply controversial and stirred much anger across Wales. Seen under construction in 1963 (left) the vast earth dam dwarfs the vehicles and workers' housing in the foreground. The trackbed of the former Bala and Festiniog Railway, which closed in 1960 to enable the scheme to proceed, can be seen on the left of the photograph in use as a construction road. Shortly after completion in 1965 (right) the vast waters of the reservoir flooded the valley drowning twelve farms and the village of Capel Celyn.

Ffigur 151 (uchod). Ym 1878 fe sefydlodd Henry Dennis Waith Brics yr Hafod i fanteisio ar y Clai Marl Etrwria a geir yn ardal Rhiwabon. Cymaint oedd poblogrwydd y cynnyrch – yn frics, teils crib, potiau simneiau a theils chwarel enwog Rhiwabon – nes i'r ffatri gael ei galw'n 'Ffatri Goch'. Bu moderneiddio mawr arni yn y 1980au ac mae hi'n dal i gynhyrchu'r deilsen chwarel enwog a blociau palmentydd clai Rhiwabon.

Figure 151 (above). Henry Dennis founded the Hafod brickworks in 1878 to capitalise on the reserves of Etruria Marl Clay found in the Ruabon area. Such was the popularity of its products – bricks, ridge tiles, chimney pots and the famous Ruabon quarry tile – it became known as the 'Red Factory'. The factory underwent major modernisation in the 1980s and continues to produce the famous quarry tile and the Ruabon clay pavers today.

Ffigur 152 (de). Caiff llawer iawn iawn o fwyn haearn ei fewnforio i weithfeydd dur Port Talbot, sy'n cynnwys Gweithfeydd Haearn a Dur Margam, drwy ddyfroedd dyfnion porthladd enwog Port Talbot ar Fôr Hafren. Erbyn 1960, câi 3,000,000 o dunelli ohono'u mewnforio bob blwyddyn. Mewnforiwyd hefyd ddefnyddiau crai eraill, gan gynnwys llwythi o dywod a slag a gawsai ei brosesu a'i ronynnu, i gynhyrchu dur. Yn y llun hwn, a dynnwyd yn 2007, mae cludwyr a chraeniau symudol y porthladd yn ychwanegu lliw'n annisgwyl at yr olygfa ddiwydiannol.

Figure 152 (right). The famous deep water port of Port Talbot on the Bristol Channel receives vast quantities of imported iron ore to serve the steelworks of the Port Talbot complex, incorporating the Margam iron and Steelworks. By 1960, 3,000,000 tons per annum were being imported, along with other raw materials for the manufacturing of steel, including cargoes of sand and processed and granulated slag. This view from 2007 shows the conveyors and travelling cranes at the port, bringing unexpected colour to the industrial scene.

Ffigur 153. Gan fod y llechen yn garreg eithriadol o drwm, bu gofyn datblygu technegau diwydiannol arloesol i symud blociau ohoni o wyneb y chwarel i'r sied i'w trin. Adeiladwaith allweddol yn y chwarel lechi oedd yr inclein a ddisgynnai'n serth i'r gwaelod gan groesi'r gwahanol bonciau ar ei daith. Defnyddid ceblau cryf yn y tai weindio i godi a gostwng y wagenni. Mae'r lluniau hyn yn dangos inclein chwarel Cambergi, Aberllefenni, Corris (chwith) ac inclein Victoria yn chwarel Dinorwig, Llanberis (de).

Figure 153. Slate is an extremely heavy stone, which required the development of innovative industrial techniques to move blocks from quarry face to dressing shed. A key structure at a slate quarry was the incline, dropping straight down the workings, traversing lateral galleries as it went. Winding houses lowered wagons on strong cables. These views show inclines at Cambergi quarry, Aberllefenni, Corris, (left), and the Victoria incline, Dinorwic quarry, Llanberis, (right).

Ffigur 154. Yn y bedwaredd ganrif ar bymtheg bu Blaenau Ffestiniog yng Ngwynedd yn ganolfan cynhyrchu ac arloesi. Uwchlaw'r dref heddiw saif tomenni gwastraff yr hen chwareli llechi a'r chwareli sydd ar waith heddiw. Tomenni mawr chwarel Diffwys sy'n codi fry yn y llun hwn ac fe redant i lawr i erddi cefn y dref. Gweithiwyd y chwarel danddaearol helaeth hon gan William Turner a Thomas Casson o 1799 ymlaen.

Figure 154. A centre of production and innovation in the nineteenth century, Blaenau Ffestiniog in Gwynedd is dominated by the waste tips of both derelict and active slate quarries. The great tips from Diffwys quarry dominate this image and cascade downslope to the back gardens of the town. This extensive underground quarry was worked by William Turner and Thomas Casson from 1799.

Ffigur 155 (chwith). Dysgu gweithio ar raddfa newydd: caiff y rhannau sydd wedi'u stacio eu llwytho i long ac arni graen a all godi llwyth trwm. Rhannau ar gyfer fferm wynt alltraeth newydd sydd yma ym Mhorthladd Mostyn, yr hen gei diwydiannol sydd â rôl newydd ers i'r diwydiant dyfu ym Môr Iwerddon (gweler Ffigur 30).

Figure 155 (left). Learning to work at a new scale: a heavy-lift 'jack-up' vessel receives stacked parts for a new offshore windfarm at the port of Mostyn, a former industrial quay which has found a new role with a burgeoning industry in the Irish Sea (see Figure 30).

Ffigur 156 (de). Yn 2003 yr agorwyd fferm wynt alltraeth Gogledd Hoyle ym Mae Lerpwl 7.5 cilometr oddi ar arfordir Prestatyn. Dyma fferm wynt alltraeth fawr gyntaf Prydain. Rhyngddynt, gall y deg ar hugain o dyrbinau gynhyrchu hyd at drigain megawat. Mae'r llun hwn, a dynnwyd yn 2009, yn edrych tua'r de-orllewin draw i Benygogarth ac i Landudno y tu hwnt iddo, ac mae tyrrau'r tyrbinau'n rhyfedd o lonydd ym mân donnau'r môr.

Figure 156 (right). The North Hoyle offshore windfarm was opened in 2003. Situated in Liverpool Bay, 7.5 kilometres off the coast of Prestatyn, it was the UK's first major offshore windfarm. It comprises thirty wind turbines with a combined maximum capacity of sixty megawatts. This view from 2009 looks south-west to Great Orme's Head and Llandudno beyond, the turbine towers remaining strangely static in an ever-moving sea.

Ffigur 157. Mynydd Parys yw safle mwynglawdd copr mwyaf y gogledd, a cheir yma ddau bwll mawr agored mwyngloddiau Mona a Pharys. Melin Wynt Mynydd Parys yw'r adeilad amlwg, ac fe'i gyrrid gynt gan bump o hwyliau. Codwyd y felin ym 1878 gan Gapten Hughes i helpu i bwmpio dŵr o siafftiau Cairns islaw a chodi peiriannau oddi yno. Er y peidiwyd â defnyddio'r felin wynt pan gaewyd y mwynglawdd ym 1904, mae hi bellach yn ganolbwynt i fenter dwristiaeth y Deyrnas Gopr sy'n hyrwyddo hen borthladd diwydiannol Amlwch a'r dirwedd o'i amgylch.

Figure 157. Parys Mountain is the site of north Wales' largest copper mine, dominated by two large opencast pits formed by the Mona and Parys mines. The Parys Mountain windmill, built in 1878 by Captain Hughes to assist in the pumping out of water and lifting of machinery from the Cairns shafts below, is a distinctive landmark and was once powered by five sails. When the mine closed in 1904, the windmill ceased operation but it has recently become the focal point for the Copper Kingdom tourism initiative promoting the former industrial port of Amlwch and its wider landscape.

Ffigur 158. Dyma lun a dynnwyd ar fynydd Helygain gan edrych tua'r de i gyfeiriad Moel-y-crio. Go brin bod yma fetr o'r tir na fu cloddio diwydiannol arno. Mae'r pyllau cloch a'r chwareli calch yn ymestyn am filltiroedd. Ar un adeg, y tir comin uchel hwn oedd un o feysydd pwysicaf mwynau sinc a phlwm Cymru a bu cloddio dyfal yma o'r ail ganrif ar bymtheg tan ddiwedd y bedwaredd ganrif ar bymtheg. Daliwyd i gloddio mwyn plwm, a chalchfaen at ddefnydd amaethyddol, tan y 1970au. Heddiw, y chwareli calchfaen mawr sy'n parhau traddodiad y diwydiant.

Figure 158. With barely a metre of ground untouched by industrial exploitation, the bell-pits and limestone quarries on Halkyn Mountain, seen here looking south towards Moel-y-crio, stretch for miles. This upland common was once one of the most important zinc and lead orefields in Wales and was intensively worked from the seventeenth century until the end of the nineteenth century. The mining of lead ore, and limestone for agricultural use, continued until the 1970s. Today large-scale limestone quarries perpetuate a legacy of industrial extraction.

Ffigur 159 (chwith). Dadlennu 'Pompeii' diwydiannol am gyfnod byr cyn ei glirio. Bu codi datblygiad tai newydd ar dir brown yng ngogledd-ddwyrain Abertawe yn 2007 a 2008 yn gyfle gwych i astudio olion gwaith smeltio Upper Bank a sefydlwyd ym 1755. Ar sail cyngor y Comisiwn Brenhinol, cafodd Oxford Archaeology gontract i wneud gwaith cloddio yn ystod y gwaith adeiladu a oedd wedi datgelu olion y gwaith smeltio. Yn y llun hwn, a dynnwyd yn 2008, gwelir sylfeini naw ffwrnais, a phob un ohonynt â phedair ffliw nwy gyfochrog. Does dim ar ôl o'r olion hynny bellach.

Figure 159 (left). An industrial 'Pompeii' briefly revealed before its clearance. A new housing development on brown-field land in north-east Swansea in 2007 and 2008 gave an excellent opportunity to examine the remains of the Upper Bank smelting works, established in 1755. On the advice of the Royal Commission, Oxford Archaeology was contracted to carry out excavations during building work, which revealed the hidden remnants of the smelting works. This view from 2008 shows the footings of nine furnaces, each with four parallel gas flues. Nothing now remains.

Ffigur 160 (uchod). Y ffatri lle bydd Cymru'n helpu'r byd i hedfan: yn y ffatrïoedd mawr hyn ym Maes Awyr Penarlâg yn Sir y Fflint yr adeiladwyd awyrennau Vickers Wellington ac Avro Lancaster yn ystod yr Ail Ryfel Byd. Y rhain, bellach, yw canolbwynt cynhyrchu adenydd pob model o awyrennau Airbus. Bob hyn a hyn, caiff llwythi o nwyddau eu cludo oddi yno gan fflyd o awyrennau rhyfeddol yr Airbus Super Transporters, neu Belugas, i ganolfannau cynhyrchu yn Ffrainc a'r Almaen.

Figure 160 (above). The factory where Wales helps the world to fly: these great factories at Hawarden airport in Flintshire, where Vickers Wellingtons and Avro Lancasters were built during the Second World War, are now the focus of wing production for all models of Airbus airliners. Regular cargo flights are made by a fleet of extraordinary Airbus Super Transporters, or Belugas, to production centres in France and Germany.

9

Cysylltiadau

Communications

Ffigur 161. Codwyd Dyfrbont Efyrnwy (canol) ym Mhentreheyline rhwng 1794 a 1796 i Gamlas Sir Drefaldwyn allu croesi Afon Efyrnwy. Cynlluniwyd y bont gan y peiriannydd camlesi, John Dadford, ac mae iddi bum bwa sydd wedi'u leinio â chlai. Oherwydd pwysau'r clai, bu'n rhaid cyfnerthu'r fframwaith â barrau clymu a thrawstiau o haearn bwrw i'w rwystro rhag cwympo. Cyn 1773, codwyd y Bont Newydd, pont â phedwar bwa, ym Mhentreheylin (i'r dde o'r ddyfrbont) a throsti hi yr âi'r brif ffordd o'r Trallwng i Groesoswallt tan 1828. Mae Dyfrbont Efyrnwy a'r Bont Newydd, sydd ill dwy'n adeiladweithiau rhestredig gradd II, yn dangos sut y cafodd ein system gludiant ei thrawsffurfio fesul tipyn dros y canrifoedd.

Figure 161. Vyrnwy aqueduct (centre), Pentreheylin, was built between 1794 and 1796 to carry the Montgomeryshire Canal over the River Vyrnwy. The aqueduct was designed by canal engineer John Dadford and comprises five arches with clay lining. The weight of the clay led to reinforcement with cast-iron tie-bars and beams to prevent collapse. New Bridge, Pentreheylin (to the right of the aqueduct), was built prior to 1773 with four arches and carried the main road from Welshpool to Oswestry until 1828. Both Vyrnwy Aqueduct and New Bridge are grade II listed structures and illustrate how our transport system has been gradually transformed over the centuries.

Er bod tir, afonydd a'r môr wedi bod yn her erioed i bawb a fynnai deithio a masnachu, mae cenedlaethau o bobl wedi llwyddo'n rhyfeddol i'w taclo a'u goresgyn. Hyd yn oed cyn i'r Rhufeiniaid adeiladu eu rhwydwaith celfydd a chymhleth o ffyrdd, yr oedd cymunedau Neolithig ar arfordir y gogledd wedi cynhyrchu bwyeill o raen mân y brigiadau o graig igneaidd yno ac wedi goruchwylio masnachu'r bwyeill hynny ar hyd rhwydweithiau cymhleth i bellafoedd Prydain. O'r awyr, rhaid rhyfeddu at gwmpas a maint campau peirianyddol y ddwy ganrif ddiwethaf wrth greu cysylltiadau ar hyd rheilffyrdd, a thros ddŵr a môr. Er i adeiladwyr rhwydwaith rheilffyrdd oes Victoria ddibynnu ar y dechnoleg arolygu fwyaf sylfaenol ac ar nerth bôn braich i gyflawni eu huchelgais, llwyddwyd i drawsffurfio golwg tirwedd gwlad a thref. Llai amlwg i boblogaeth Cymru heddiw yw'r goleudai go unig hwnt ac yma ar hyd yr arfordir a fu unwaith yn hanfodol i lwyddiant masnach y llongau ac i ddiogelu bywydau. Er nad oes dim staff yn y goleudai ers tro byd, mae goroesiad y tyrrau cerrig hynod gain hyn, a godwyd yn oes Victoria ac Edward ac yn rhai o'r mannau anoddaf a mwyaf peryglus ym Mhrydain, yn tystio i barhad dyfeisgarwch y ddynoliaeth.

The land, rivers and sea have long presented challenges to trading and travel, yet these have been admirably tackled and overcome by successive generations. Even before the Romans built a complex and carefully engineered road network. Neolithic communities on the north coast had exploited outcrops of fine-grained igneous rock for the production of stone axes, and oversaw the trading of these axes along complex networks to distant parts of Britain. Seen from the air, the engineering achievements of the last two centuries, which enabled communication by rail, water and sea are extraordinary in their scope and scale. The ambition of the Victorian railway network relied on the most basic surveying technology and manpower, yet it reshaped the urban and rural landscape. Less visible to the present population of Wales are the rather lonely lighthouses that dot the coastline, they were once instrumental in the success of coastal shipping and trade, and for the safeguarding of life. While the lighthouses have long ceased to be staffed, the survival of these most elegant of Victorian and Edwardian stone towers, built in some of the most difficult and dangerous locations in Britain, attests to the enduring spirit of human ingenuity.

Ffigur 162. Mae datblygiadau ffyrdd ym Mhontypridd wedi golygu bod man cyfarfod y rheilffyrdd o Gwm Rhondda (ar y chwith) a Merthyr Tudful / Aberdâr (de) dipyn llai amlwg nag y bu. O dan y rheilffyrdd mae cylchfan Heol Sardis, ac oddi arni hi fe aiff y ffyrdd i wahanol gymoedd. Yng nghanol y llun ac ar ei ben ei hun mae'r blwch signalau a godwyd adeg datblygu gorsaf Pontypridd ym 1907. Mae rhan o Heol Sardis yn mynd o'r golwg o dan y blwch signalau cyn ailymuno â'r gylchfan. Tynnwyd y llun yn haf 2007 pan oedd gwaith adeiladu'n mynd rhagddo (uchod, de) ar swyddfeydd Tŷ Pennant.

Figure 162. Converging railway lines at Ponypridd, from the Rhondda (on the left) and Merthyr Tydfil / Aberdare (right), are swamped by later road developments. The Sardis Road roundabout passes beneath the lines, from which a network of roads disperse to serve the South Wales valleys. In the centre of the photograph a signal box, built as part of the Pontypridd station development in 1907, stands isolated. Part of Sardis Road disappears beneath the signal box before rejoining the roundabout. This photograph from summer 2007 captures construction work in progress (top right) on the Tŷ Pennant office building.

Ffigur 163. Ar goll, braidd, yn y byd modern, cafodd hen bont ganoloesol Lecwydd, sydd bellach yn Heneb Gofrestredig, ei holynu gan y Bont Newydd, pont un-rhychwant a godwyd o goncrid cyfnerthedig yn union wrth ei hochr ym 1935. Dros y bont newydd y bydd y mwyafrif o'r traffig yn croesi Afon Elái ac ar yn mynd ar hyd Ffordd Lecwydd i mewn ac allan o Gaerdydd erbyn hyn. Ac eto, a chan adlewyrchu'r esblygu di-baid ar beirianneg sifil wrth i'r system gludiant geisio ymdopi â'r gofynion cynyddol, mae'r Bont Newydd yn ei thro yng nghysgod yr A4232, Ffordd Gyswllt Caerdydd (sy'n croesi'r llun ar y dde), sy'n cysylltu â rhwydwaith traffyrdd y wlad.

Figure 163. Rather lost in the modern world, the medieval Leckwith old bridge, now a Scheduled Ancient Monument, was superseded by the reinforced concrete single-span bridge (New Bridge), built directly alongside in 1935. New Bridge now carries the majority of traffic across the river Ely, and along Leckwith Road, in and out of Cardiff. Yet, reflecting the unceasing evolution in civil engineering as the transport system struggles to cope with rising demands, New Bridge is in turn overshadowed by the A4232 Cardiff Link Road (crossing photo right) linking to the motorway network.

Ffigur 164 (chwith). Y toeon sgleiniog yw'r adeiladweithiau diweddaraf yn hanes dwy ganrif o ddatblygu porthladd Caergybi ym Môn. Ym 1810 pasiwyd Deddf Seneddol a arweiniodd at wella'r harbwr ym 1821 drwy godi yno, ymhlith pethau eraill, Bier yr Admiraliaeth, y goleudy, swyddfa'r harbwrfeistr a'r tollty ac, yn ddiweddarach, fwa Siôr IV. Erbyn canol y 1840au ac yn rhannol oherwydd dyfodiad y rheilffordd ym 1844, yr oedd cynlluniau ar y gweill i godi harbwr newydd. Codwyd y derfynell newydd hon i longau fferi Môr Iwerddon yn y 1990au i gysylltu'r orsaf â'r fferi fel bod modd croesi'n syth o'r naill i'r llall.

Ffigur 165 (uchod). Mae tref atyniadol Aberaeron hanner ffordd rhwng Aberteifi ac Aberystwyth ac yn enwog am ei thai Sioraidd lliwgar o waith y pensaer Edward Haycock yn bennaf. Datblygwyd porthladd llewyrchus yno a bu adeiladu llongau'n un o'r prif ddiwydiannau. Dirywiodd yr harbwr yn sgil dyfodiad y rheilffordd ym 1911 ac erbyn heddiw mae cychod pysgota, cychod pleser a thai bwytai wedi disodli'r hen ddiwydiannau. Mae effaith waliau'r harbwr wrth dawelu'r dyfroedd ar ddiwrnod stormus o wanwyn yn 2008 i'w gweld yn arbennig o glir yn y llun hwn.

Figure 164 (left). Gleaming roofs are the latest structures in two centuries of harbour development at Holyhead port, Anglesey. In 1810 an Act of Parliament was passed leading to improvements to the harbour in 1821, which included the Admiralty Pier, lighthouse, harbour master's office and custom house and later the George IV arch. By the mid 1840s plans were underway for the construction of a new harbour, partly in response to the coming of the railway in 1844. This new ferry terminal for the Irish Sea services was built in the 1990s linking the railway station and ferry, allowing seamless transfer between both.

Figure 165 (above). Mid-way between Cardigan and Aberystwyth, Aberaeron is a pretty harbour town famous for its brightly coloured Georgian houses designed principally by the architect Edward Haycock. The town developed into a thriving port with shipbuilding as one of its key industries. With the arrival of the railway in 1911 the harbour went into decline, but today fishing boats, pleasure crafts and restaurants have replaced the industries of the past. The calming effects of the harbour walls on a stormy spring day in 2008 are particularly evident in this view.

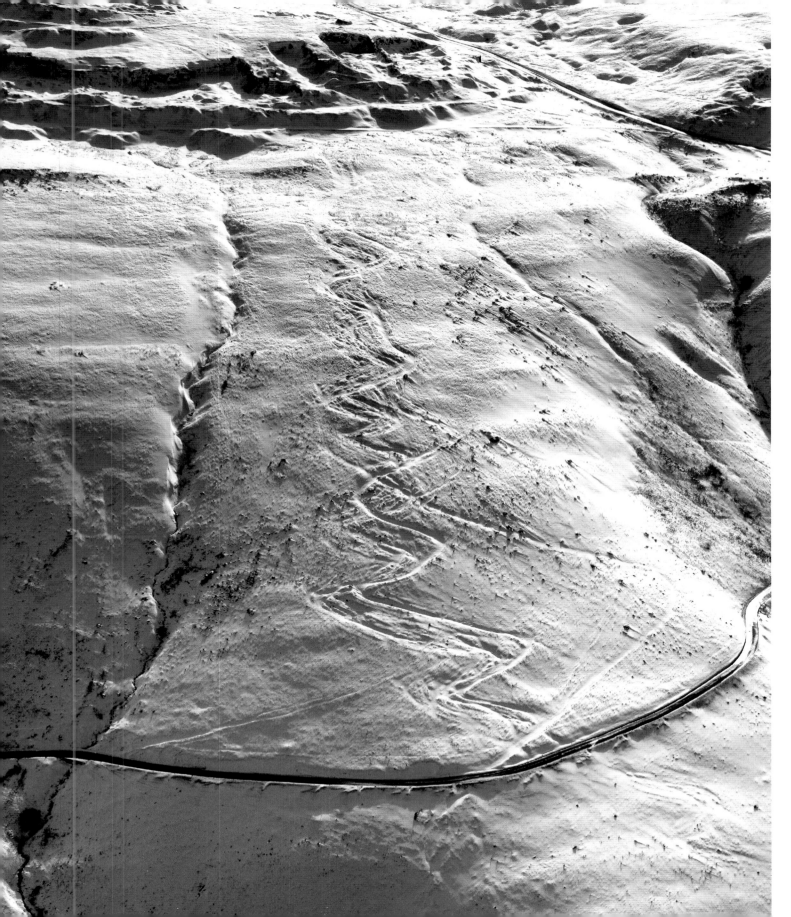

Ffigur 166. Mae'r llwybrau igam-ogam sy'n gynnyrch canrifoedd o droedio rhwng mynydd a dyffryn gan bobl ac anifeiliaid yn cynnig olion archaeolegol o weithgareddau cefn gwlad Cymru gynt. Ar y chwith, mae llwybrau'n disgyn o'r gweundir uchel ger mwynglawdd plwm ac arian Craig y Mwyn ar Fynyddoedd y Berwyn yng ngogledd Powys. Llwybrau at iws y mwynwyr ac, efallai, y ffermwyr a ddringai i'r mawnogydd i dorri mawn, oedd y rhain. Ar y dde, ceir plethwaith clir o lwybrau'n esgyn ar hyd llethrau llwm Rhiw Wen ar y Mynydd Du yn Sir Gaerfyrddin i gwarrau calchfaen y Foel Fawr (brig).

Figure 166. Zig-zag trackways, fossilising centuries of foot and animal traffic between mountain and valley are a physical, archaeological imprint of otherwise transient activities in rural Wales. On the left, trackways descend from upland moor near Craig y Mwyn lead and silver mine on the Berwyn Mountains in Northern Powys, serving both the needs of miners and perhaps also farmers cutting peat from mountain turbaries. On the right, an ingrained pattern of braided trackways ascends the barren hillslopes of Rhiw Wen in the Black Mountains, Mynydd Du, towards Foel Fawr limestone quarries (top).

Ffigur 167. Y ffordd yn drech na'r rheilffordd ym Merthyr Tudful: er hynny, mae traphont Cefncoedycymer, a gynlluniwyd gan Conybeare a Sutherland, wedi cadw ei statws eiconig. Codwyd y draphont o galchfaen gan Savin a Ward ym 1866 ar gyfer Rheilffordd Aberhonddu a Merthyr. Mae'n 235 metr o hyd ac yn 36.6 metr o uchder ac mae ei phymtheg bwa'n croesi afon Taf Fawr. Er i'r A470 (chwith) ei disodli, mae Cyngor Bwrdeistref Sirol Merthyr Tudful wedi gwella gwedd y bont yn ddiweddar ac mae hi'n awr yn rhan o lwybr cerdded a beicio Llwybr Taf.

Figure 167. Rail yields to road at Merthyr Tydfil; yet the Cefn-Coed-y-Cymmer viaduct, designed by Conybeare and Sutherland, retains its iconic status. Built in 1866 to carry the Brecon and Merthyr railway by Savin and Ward, the viaduct, constructed from limestone, measures 235 metres and stands 36.6 metres high, with fifteen arches spanning the Taf Fawr. Although superseded by the A470 (left) the viaduct has recently been refurbished by Merthyr County Borough Council and is part of the Taff Trail walking and cycling route.

Ffigur 168. Mae adeiladwaith cryf ond gosgeiddig Dyfrbont Pontcysyllte, a godwyd rhwng 1795 a 1805, yn dal i gario Camlas Llangollen (Ellesmere) ar ddeunaw o golofnau o gerrig yn uchel uwchlaw Afon Dyfrdwy a thir coediog yr hydref. Fe'i cynlluniwyd gan William Jessop a Thomas Telford, ac mae'n cynnal un o'r dyfrffyrdd uchaf o haearn bwrw yn y byd. Arysgrifwyd yr adeiladwaith hanesyddol hwn yn Safle Treftadaeth Byd gan UNESCO ar 27 Mehefin 2009.

Figure 168. Elevated above the river Dee and autumn woodland on eighteen stone piers, the strong yet graceful Pontcysyllte Aqueduct, built between 1795 and 1805, still carries the Llangollen (Ellesmere) Canal across a great divide. Designed by William Jessop and Thomas Telford, and one of the tallest cast-iron aqueducts in the world, this historic structure was inscribed as a World Heritage Site by UNESCO on 27 June 2009.

Ffigur 169. Ymhell oddi cartref. Mae'r goleudy ar riff y Smalls 28 cilometr (17 o filltiroedd) o dir mawr Sir Benfro ac yn edrych tua'r gorllewin ar draws y môr agored. Fe gymerodd y goleudy cain hwn o gerrig le un o'r goleudai cynharaf o bren ym Mhrydain ac fe gwblhawyd ei godi ym 1861 o dan amodau dychrynllyd o anodd. Bron i wyth canrif ynghynt, yn hanner cyntaf y ddeuddegfed ganrif, mae'n debyg i un o longau'r Llychlynwyr gael ei dryllio ar y creigiau peryglus hyn. Yr unig dystiolaeth bendant o'r drychineb honno ar y môr yw'r ddyrnfol cleddyf addurnedig o efydd y cafodd deifwyr hyd iddi ym 1991. Wrth chwilio o'r awyr yn ystod llanw gyda'r isaf yn 2010 bu modd gweld creigiau a riffiau'r Smalls yn fanylach drwy'r dŵr bas a llwyddo, felly, i ddeall rhagor am y fan lle cafwyd hyd i'r dyrnfol cleddyf.

Figure 169. A long way from home. The Smalls Reef lies 28 kilometers (17 miles) from the Pembrokeshire mainland and looks west across open sea. The elegant masonry lighthouse was completed in 1861, under the most difficult conditions, to replace one of the earliest pile-built timber lighthouses in Britain. Nearly eight centuries before, in the first half of the twelfth century, a Viking ship appears to have been wrecked on these dangerous reefs. An elaborately decorated brass sword guard found by divers in 1991 is our only tangible evidence for this calamity at sea. Aerial reconnaissance during one of the lowest tides of 2010 enabled the rocks and reefs of The Smalls to be seen more accurately through shallow water, so that the findspot of the sword guard could be better understood.

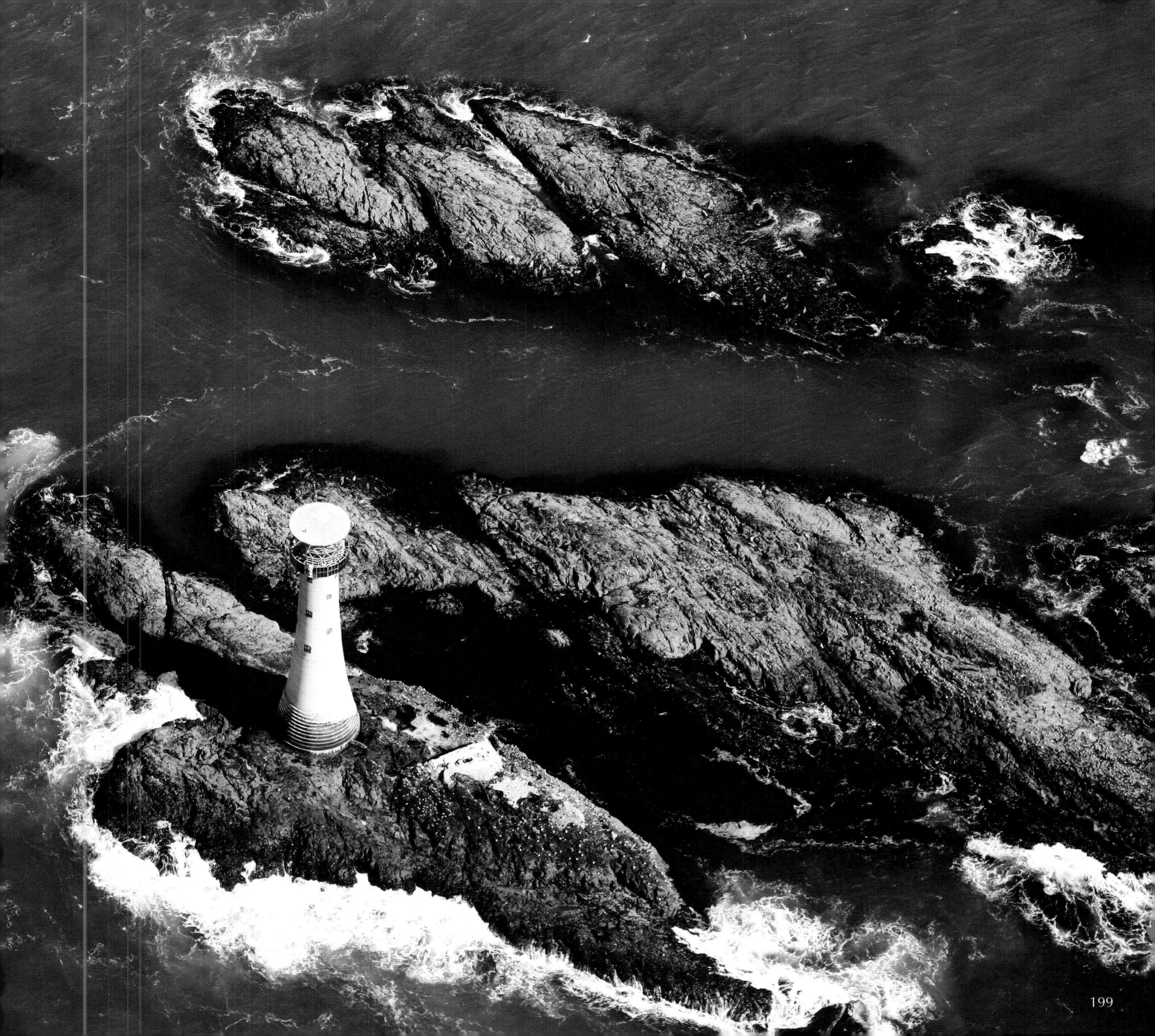

Ffigur 170 (chwith). Codwyd goleudy'r Moelrhoniaid i rybuddio llongau am y creigiau peryglus oddi ar arfordir gogledd-orllewin Môn. Cododd William Trench dŵr crwn yma ar ôl 1716 yn wreiddiol, ond tua 1759 codwyd tŵr blaenfain o galchfaen a hwnnw'n 6.65 metr o uchder. Ym 1804 cynyddwyd uchder y goleudy a'i newid i losgi olew. Aeth i ddwylo Trinity House ym 1844 a heddiw mae'r goleudy a'i fandiau o goch a gwyn yn 22 o fetrau o uchder. Bob deg eiliad bydd yn cynhyrchu dwy fflach y gellir eu gweld dros 35 cilometr (22 o filltiroedd) i ffwrdd. Mae hynny, ynghyd â gosod corn niwl yno, wedi helpu llu o forwyr i osgoi'r creigiau peryglus ym Môr Iwerddon o amgylch glannau Môn.

Figure 170 (left). Warning of dangerous rocks off the far north-western tip of Anglesey, the Skerries lighthouse was originally a round tower built by William Trench after 1716, but was later rebuilt c.1759 as a tapering limestone tower 6.65 metres high. In 1804 the lighthouse was heightened and converted to oil. In 1844 Trinity House acquired the Skerries lighthouse and today the red and white banded lighthouse stands at 22 metres high. Two flashes of light every ten seconds, which can be seen over 35 kilometres (22 miles) away, together with the installation of a foghorn, has assisted countless mariners to navigate the treacherous rocks in the Irish Sea round Anglesey.

Ffigur 171 (uchod). Mae Ynys Enlli bron 3 chilometr o dir mawr Llŷn, Gwynedd, ac ar draws dyfroedd garw Swnt Enlli. Er ei bod hi bob amser wedi bod yn anodd croesi i'r ynys mewn cwch am fod y tywydd mor anwadal, bu'r abaty canoloesol y ceir ei olion yno yn gyrchfan i bererinion am ganrifoedd. Codwyd goleudy Ynys Enlli ar y penrhyn pellaf ym 1820, a'i dŵr sgwâr yw'r mwyaf o holl dyrrau sgwâr goleudai Prydain.

Figure 171 (above). Bardsey Island lies nearly 3 kilometres off the mainland of the Llyn Peninsula, Gwynedd, across the churning waters of Bardsey Sound. Boat crossings have always been difficult with unpredictable conditions, yet the island is home to the ruins of a medieval abbey and has been a place of pilgrimage for centuries. Bardsey Island lighthouse, on the far peninsula, was erected in 1820 and is the tallest square tower of any lighthouse in the British Isles.

Ffigur 172 (chwith). Cynlluniwyd Ail Groesfan Hafren gan Halcrow mewn partneriaeth â'r ymgynghorydd o Ffrainc, SEEE. Tynnwyd y llun hwn ohoni ddeg mlynedd ar ôl ei hagor wrth i'r creigiau ddod i'r wyneb adeg llanw isel. Agorwyd y bont yn swyddogol gan Dywysog Cymru ar 5 Mehefin 1996. Mae hi'n 5.2 cilometr o hyd ac mae traphontydd hir yn arwain ati. Mae ei phrif rychwant yn 456 metr o hyd dros sianel ddofn Afon Hafren, a throsti yr aiff traffordd chwe-lôn yr M4. Bydd rhyw 60,000 o gerbydau'r dydd yn ei defnyddio i ymuno â'r rhwydwaith o ffyrdd a thraffyrdd ar y naill lan a'r llall.

Figure 172 (left). Photographed ten years after opening, with rocks exposed at low tide, the Second Severn Crossing was designed by Halcrow in partnership with French consultant SEEE. The crossing was officially opened on 5 June 1996 by HRH the Prince of Wales. Measuring 5.2 kilometres in length, the Second Severn Crossing has long approach viaducts and a main span measuring 456 metres over the deep water channel. Carrying the six-lane M4 motorway over the River Severn, the crossing enables some 60,000 vehicles a day to connect to the network of motorways and roads on either side.

Ffigur 173 (de). Mae ffordd Rufeinig (ôl crasu, canol y llun) yn ymadael â lôn fodern yn y wlad i'r gogledd-ddwyrain o Fiwla ym Mhowys. Arwyddion nodweddiadol peirianwaith y Rhufeiniaid, sef ffordd ganolog a phalmantog (neu *agger*) a phyllau chwarela bob ochr iddi, sy'n dangos gwir oedran y ffordd. Dangosant hefyd fod olion sylweddol yn dal i fod o dan y tir pori heddiw. Yn aml, tybiai'r ymchwilwyr cynnar i ffyrdd Rhufeinig yng Nghymru fod y ffyrdd hynny'n dilyn llwybr lonydd cefn gwlad. Dros y degawdau diweddar yn unig y mae lluniau fel hwn wedi dangos lle'n union yr aent.

Figure 173 (right). A Roman road (parchmark, centre frame) diverges from a modern country lane to the north-east of Beulah, Powys. The characteristic signs of Roman engineering, a central paved roadway (or *agger*) with flanking quarry pits, show the road's true age. They also indicate that substantial remains still exist below the modern pasture. Early researchers of Roman roads in Wales often assumed they followed the course of country lanes. Only in recent decades has aerial reconnaissance shown many of their true routes.

Ffigur 174.   Mae lein gul Rheilffordd Ffestiniog yn dringo'n droellog o dref glan-môr Porthmadog heibio i lynnoedd a rhaeadrau a thrwy goedwigoedd dramatig nes cyrraedd y mynyddoedd ar ei ffordd i Flaenau Ffestiniog. Yma, uwchlaw dyfroedd hyfryd Llyn Mair, saif gorsaf Tan-y-bwlch yng nghanol coed derw praff sydd ymhlith olion olaf coedwigoedd glaw brodorol Cymru. Mae'r fro'n enwog am fwsoglau, rhedyn, cennau a llysiau'r afu. Gynt, cludai'r rheilffordd lechi o chwareli'r mynyddoedd i'r arfordir i'w hanfon ar longau i bedwar ban y byd, ond erbyn hyn bydd hi'n cludo teithwyr drwy rai o olygfeydd hyfrytaf y gogledd.

Figure 174.   The narrow gauge Ffestiniog Railway snakes from Porthmadog on the coast, past lakes and waterfalls, through dramatic forests, and into the mountains en route to Blaenau Ffestiniog. Situated here above the beautiful Llyn Mair, the passing station of Tan-y-Bwlch emerges out of a magnificent oak woodland, one of the last remaining remnants of native Welsh rainforest, famed for its mosses, ferns, lichens and liverworts. The railway once carried slate from mountain quarries to the coast where it was transported by ship around the world, but now it carries passengers through some of the most stunning scenery in north Wales.

Ffigur 175. Mae'r adeiladweithiau crwn o liw arian wedi trawsffurfio golwg Gorsaf Reilffordd Casnewydd ar brif lein reilffordd y de. Cynlluniwyd yr orsaf newydd gan Grimshaw ac Atkins a'i hagor ar 13 Medi 2010 mewn pryd ar gyfer cystadleuaeth golff Cwpan Ryder

Figure 175. Globular silver structures transform Newport railway station, on the South Wales main line. Designed by Grimshaw and Atkins, the new station opened on 13 September 2010 in time for the Ryder Cup golf tournament.

10

Pleser

Pleasure

Ffigur 176. Ym Mhontypridd, un haf, mae'r tyrfaoedd yn llenwi'r lido a godwyd ym Mharc Ynysangharad ym 1927 pan oedd y ffasiwn am nofio a thorheulo ar ei hanterth. Cynlluniwyd y lido yn null y celfyddau a'r crefftau ac ar ei orau yr oedd yno bwll nofio petryal, man deifio ar ffurf hanner cylch, oriel baddonau a blychau newid i hyd at fil o bobl. Dechreuodd y lido ddirywio yn y 1980au ac fe'i caewyd ym 1991. Er mai'r bwriad yw adnewyddu llawer arno yn y cyfamser, mae'r llun hwn yn dangos nofwyr ar ddiwrnod poeth yng Ngorffennaf 2007 yn dal i fwynhau'r pwll padlo crwn ger y lido.

Figure 176. Summer crowds fill Ynysangharad lido, built in 1927 when the fashion for swimming and sunbathing was in its heyday. Set within Ynysangharad Park, Pontypridd, the lido was designed in the arts and crafts style, with a rectangular swimming pool, semi-circular diving area, bath gallery and changing boxes, accommodating up to 1,000 people at its height. The lido's decline began in the 1980s and it was closed in 1991. A major renovation for the lido is planned but in the meantime, bathers still enjoy the circular paddling pool, shown beside the lido in the photograph, taken on a hot day in July 2007.

Ymhlith cofadeiliau maes a threftadaeth adeiledig Cymru ceir adeiladweithiau, a threfweddau cyfan, a godwyd i hybu hamdden a phleser. Prin yw rhai o'r cyfnodau cynharaf, o leiaf i lygaid yr archaeolegydd-o'r-awyr, ond o'r bedwaredd ganrif ar bymtheg ymlaen maent yn rhan annatod o olwg y trefi. Yn ystod y bedwaredd ganrif ar bymtheg, yr oedd y dosbarthiadau uchaf wedi dechrau teithio i drefi ffynhonnau yn y wlad ac i drefi poblogaidd yr arfordir er lles eu hiechyd ac i ymdrochi, a bu'r arfer o deithio i lan y môr yn weithgarwch i gyfoethogion yn unig tan i ddyfodiad y rheilffordd, a gwyliau â thâl, chwyldroi byd y werin. Ym 1807 yr agorwyd y lein gyntaf i gludo teithwyr am dâl. Rheilffordd Ystumllwynarth yn Abertawe oedd honno ac fe ddefnyddid ceffylau i dynnu'r trenau arni. Gwelwyd adeiladu brwd ar reilffyrdd yng Nghymru yn ystod degawdau canol y ganrif honno. Er i ddatblygiadau eraill yn ystod teyrnasiad Victoria, gan gynnwys Deddf Gwyliau Banc 1871, gynyddu amser hamdden y gweithwyr a rhoi mwy o ryddid iddynt, daliodd gwyliau i fod yn bethau drud. Poblogrwydd y daith undydd ar drên a barodd i'r tyrfaoedd heidio i drefi glan-môr tua diwedd y ganrif. Er i gyfoeth a mentergarwch cynyddol hybu codi pier mawr mewn sawl lle yng Nghymru, gan gynnwys Llandudno a Phenarth, eu hymwybod o'u cyfrifoldeb i'w gwlad a barodd i ddiwydianwyr dalu am godi lidos trefol a phyllau nofio cyhoeddus yn negawdau cynnar yr ugeinfed ganrif. Wrth i ddiwydiannau traddodiadol Cymru edwino, lleihau hefyd wnaeth y tyrfaoedd a fwynhâi wyliau glan-môr. Er bod yr awyrluniau du a gwyn hyn o draethau gorlawn yr haf yn dwyn yr oes aur honno i gof, mae pleserau newydd wedi cyrraedd. Mae chwaraeon, a rygbi a phêl-droed yn arbennig, yn dal i fod yn boblogaidd dros ben ac mae gwyrddlesni cae rasio Ffos Las yn enghraifft o drawsffurfio hen waith glo brig yn llwyr a'i droi'n lle i hamddena a mwynhau.

Among the field monuments and built heritage of Wales are structures, and entire townscapes, dedicated to the ideals of leisure and pleasure. From earlier periods such sites are rare, at least to the eyes of the aerial archaeologist, but from the nineteenth century onwards they form an integral part of the urban scene. The upper classes had begun to travel to inland spa resorts and popular coastal towns for their health and bathing during the nineteenth century, and the habit of travelling to the seaside remained the preserve of the wealthy until the coming of the railway, and paid holidays, revolutionised affordable travel for the masses. The first train to carry fare-paying passengers, the horse-drawn Oystermouth Railway in Swansea , opened in 1807 and was followed by an explosion in railway construction in Wales during the middle decades of the nineteenth century. Other advances in leisure time during Victoria's reign, including the Bank Holidays Act of 1871, provided greater freedom for workers but holidays remained an expensive luxury. It was the popularity of the day excursion which saw thousands descend on the coastal resorts by rail towards the end of the nineteenth century. Whilst rising wealth and private enterprise encouraged the construction of Wales' great piers, among them Llandudno and Penarth, a sense of civic responsibility lay behind the industrialists' funding of urban lidos and public swimming pools in the early decades of the twentieth century. As the traditional industries have declined in Wales so the crowds enjoying seaside holidays have dwindled. Halcyon days are evoked by these black and white aerial images of packed summer beaches, yet new pleasures have arrived. Sport, particularly rugby and football, remain hugely popular, while the emerald curves of the Ffos Las racecourse show the ultimate transformation of a derelict opencast mine to a place of pleasure and leisure.

Ffigur 177. Saif Cae Rasio Ffos Las yn Sir Gaerfyrddin ar dir a adferwyd ar ôl cau'r hyn a fu unwaith yn bwll glo brig mwyaf Ewrop. Datblygwyd y cae rasio gwyrddlas hwn gan Dai Williams, gŵr busnes lleol, wedi i'r Walters Group ei greu a'i gynllunio. Agorodd Ffos Las ym Mehefin 2009 yng nghanol môr o gyhoeddusrwydd. Mae'n rhyw 242 hectar (600 o erwau) ac yn un o ddim ond tri chae rasio yng Nghymru. Mae'r trac hirgrwn a phob-tywydd yn filltir a hanner o hyd ac yn cynnig rasio dros y clwydi ac ar dir gwastad. Cyfyd bryniau bob ochr iddo a cheir golygfeydd trawiadol ar hyd Cwm Gwendraeth i Fae Caerfyrddin.

Figure 177. The green curves of Ffos Las racecourse, Carmarthenshire, sweep across the reclaimed land of what was once Europe's largest opencast coalmine. Developed by a local businessman, Dai Williams and created and designed by Walters Group, Ffos Las opened in June 2009 in a blaze of publicity. The complex covers some 242 hectares (600 acres) and is one of only three racecourses in Wales. The oval, all-weather track is twelve furlongs in length and offers National Hunt and Flat racing. The racecourse is set amid the hills of the Welsh countryside with spectacular views down the Gwendraeth valley to Carmarthen Bay.

Ffigur 178. Gynt, bu amffitheatr Rhufeinig Caerllion yn llawn o ymryson rhwng dyn ac anifail ac o gynnal gwyliau crefyddol a seremonïau milwrol. Bellach, mae'n un o'r rhai sydd wedi'u diogelu orau ym Mhrydain. Fe'i codwyd tua diwedd y ganrif gyntaf OC i ddifyrru Ail Leng Awgwstws yng nghaer Rufeinig *Isca* a cheid seddau ynddo i gynifer â 6,000 o wylwyr. Cyn i Mortimer Wheeler gloddio yno yn y 1920au, yr enw lleol ar wrthglawdd hirgrwn yr amffitheatr oedd Bord Gron Arthur. Mae arolwg geoffisegol diweddar wedi datgelu bod maestref adeiladau mawr – na wyddai neb amdani cyn hyn – rhwng muriau'r gaer ac afon Wysg. Tynnwyd y llun adeg y cloddio ym mis Awst 2011 (isod).

Figure 178. Once filled with gladiatorial combat between man and beast, religious festivals and military ceremonies, the Caerleon Roman amphitheatre is one of the best preserved in Britain. Built in the later first century AD, the amphitheatre provided entertainment for the Second Augustan Legion of the Roman fortress of *Isca*, and afforded seating for as many as 6,000 spectators. Before excavation by Mortimer Wheeler in the 1920s the bowl-shaped earthwork of the amphitheatre was known locally as King Arthur's Round Table. Recent geophysical survey has revealed a previously unsuspected suburb of monumental buildings between the fortress walls and the river Usk, photographed under excavation in August 2011 (below).

Ffigur 179. Ar ôl sawl munud o ddringo i'r awyr a dibynnu ar brofiad maith y peilot i ymladd peryglon hyrddiadau'r gwynt i bob cyfeiriad, daw'r awyren Cessna at gopa'r Wyddfa yng Ngorffennaf 2011 a hedfan heibio iddo'n gyflym cyn croesi cefnen arw Bwlch Main a dychwelyd i lefel is. Agorwyd gorsaf newydd Hafod Eryri ar y copa yn 2009 yn lle'r adeilad cynharach a gynlluniwyd gan Syr Clough Williams-Ellis ym 1935, adeilad a oedd yn ei dro wedi disodli'r orsaf gyntaf a godwyd gan Reilffordd yr Wyddfa ym 1896. Mae Hafod Eryri wedi'i chodi i wrthsefyll gwyntoedd o fwy na 150 milltir yr awr.

Figure 179. After several minutes of gaining altitude, and relying on the long experience of the pilot to fight the dangers of turbulence and the possibilities of downdrafts, the Cessna aircraft approaches the summit of Snowdon – Yr Wyddfa in Welsh – in July 2011 for a brief fly past before crossing the knife-edge ridge of Bwlch-Main and returning to a lower working altitude. The new summit station of Hafod Eryri was opened in 2009, replacing Sir Clough Williams-Ellis' earlier 1935 building, which itself replaced the first terminus of the Snowdon Mountain Railway, opened in 1896. Hafod Eryri has been built to withstand wind speeds of over 150 miles per hour.

Ffigur 180. Owen Williams ac Arglwydd Mostyn a gynigiodd ddatblygu Llandudno'n dref wyliau, a thyfodd hi'n boblogaidd gyntaf ganol y 1800au. Chwyddwyd ei phoblogrwydd pan gyrhaeddodd y rheilffordd ym 1858 ac fe ffynnodd am i bobl heidio yno ar wyliau o Sir Gaerhirfryn, Gorllewin Canolbarth Lloegr a Lerpwl. Agorwyd Pier Llandudno yn Awst 1877 yn lle'r lanfa 73-metr o hyd (242 o droedfeddi) o bren a choed a gawsai ei chodi ym 1858. Cynllunwyd y pier gan Charles Henry Driver ar gyfer y penseiri Brunlees a McKerrow, ac yn wreiddiol yr oedd yn 376 metr (1,234 o droedfeddi) o hyd. Câi'r dec ei gynnal gan rwydwaith o drawstiau ar bileri o haearn bwrw a gastiwyd yn Ffowndri Elmbank cwmni Walter MacFarlane yn Glasgow, ac ar hyd y pier ceid ciosgau sgwâr ac yna giosgau wythonglog ym mhen y pier.

Figure 180. The Victorian seaside resort of Llandudno first became popular in the mid 1800s following a proposal by Owen Williams and Lord Mostyn to develop the town into a holiday resort. The railway link in 1858 sealed the popularity of the town and it boomed, with people holidaying from Lancashire, the West Midlands and Liverpool. Llandudno Pier opened in August 1877, replacing a 73 metre (242 foot) timber and wood jetty built in 1858. Designed by Charles Henry Driver for Brunlees and McKerrow architects, the pier originally stood 376 metres (1,234 feet) long. Lattice girders set on cast-iron pillars, cast at Walter MacFarlane's Elmbank Foundry in Glasgow, supported the deck while square kiosks lined the pier, with octagonal kiosks at the pier head.

Ffigur 181 (uchod). Glan y môr yw'r lle i ni! Parc Carafannau Bae Trecco ar y traeth ym Mhorthcawl yw parc carafannau mwyaf Prydain erbyn hyn. Gwelwyd twf cyflym mewn carafanio a gwersylla yn y 1950au a'r 60au yn hytrach na mynd i'r llety neu'r gwesty traddodiadol. Mae'r llun hwn, a dynnwyd ym mis Awst 1959, yn dangos Bae Trecco ar ei anterth. Yno, mae carafannau, pebyll, blociau toiled a chyfleusterau eraill i'w gweld yng nghanol y twyni ac maent wedi ymledu allan i'r traeth hyd at farc y llanw uchaf.

Figure 181 (above). We all want to be beside the seaside! Literally situated right on the beach, Trecco Bay Caravan Park, Porthcawl, is now the UK's largest caravan park. The rapid growth of caravanning and camping began in the 1950s and 60s as an alternative to the traditional boarding house or hotel. This view from August 1959 shows Trecco Bay at its height, with caravans, tents, toilet blocks and other facilities nestling in the dunes and spilling out onto the beach at the very limit of the high-tide mark.

Ffigur 182 (de). Dyma bier Penarth ym 1955. Mae iddo bafiliwn *art deco* hyfryd uwchlaw'r traeth a gallai 600 o bobl eistedd ynddo. Yr oedd yn 200 metr (658 o droedfeddi) o hyd ac fe safai ar bileri o haearn bwrw. Fe'i cynlluniwyd gan y peiriannydd H. F. Edward ond hanes cymysg sydd iddo ers ei agor yn Chwefror 1895. Prynodd y cyngor lleol ef ym 1926 ac ychwanegu glanfa o goncrid atgyfnerthedig. Fe'i difrodwyd yn ddifrifol sawl gwaith a bu'n rhaid gwneud gwaith atgyweirio arno. Ym 1931 dinistriwyd y pafiliwn a'r dec uwchlaw'r traeth i gyd gan dân ac ym 1947 fe'i trawyd gan y stemar *Port Royal Park*. Dechreuwyd adfer y pier ym 1994 ac fe'i hailagorwyd yn swyddogol ym 1998.

Figure 182 (right). Seen here in 1955, and sporting a delightful art deco pavilion at the shore end designed to seat 600 people, Penarth Pier has enjoyed mixed fortunes since its opening in February 1895. Designed by the engineer H. F. Edward and standing 200 metres (658 feet) long on cast-iron pillars, the pier was bought in 1926 by the local council who added a reinforced concrete landing stage. It has suffered serious damage on a number of occasions and undergone repair work, notably a fire in 1931, which completely destroyed the pier-head pavilion and decking, and again in 1947, when the steamer *Port Royal Park* collided with it. Restoration of the pier began in 1994 and it was officially reopened in 1998.

Ffigur 183 (chwith). Pobl ar eu gwyliau yn heidio i draethau euraid y Rhyl ger aber Afon Clwyd ym 1961. Datblygodd y dref yn gyflym yn y bedwaredd ganrif ar bymtheg, ac oherwydd ei thraethau braf a'r dulliau hwylus o'i chyrraedd o drefi a dinasoedd fel Lerpwl bu'n gyrchfan poblogaidd i dwristiaid yn oes Victoria. Lledwyd ei hapêl, a denu ymwelwyr o Lundain, pan agorodd Rheilffordd Caer a Chaergybi orsaf yno ym 1848.

Ffigur 184 (uchod). Gwyliau glan-môr. Gan i gytundeb Billy Butlin â'r llywodraeth ar ddechrau'r Ail Ryfel Byd i gwblhau codi gwersyll gwyliau Filey at ddefnydd milwrol fod yn llwyddiant, gofynnwyd iddo ddod o hyd i safle arall. Dewisodd ef y fan hon, 6.5 cilomedr (4 milltir) i'r dwyrain o Bwllheli. Rhedai lein rheilffordd drwy ganol y safle. Cwta dair wythnos ar ôl i'r gwaith adeiladu gychwyn, cyrhaeddodd 8,000 o aelodau'r lluoedd a bu'n rhaid iddynt gysgu mewn pebyll tan i'r adeiladau gael eu cwblhau. Yna, galwyd y safle yn HMS *Glendower* a'i ddefnyddio'n ganolfan hyfforddi i'r Admiraliaeth (gan gynnwys y gŵr a ddeuai'n Ddug Caeredin) a'r Llynges Fasnachol. Ar ddiwedd y rhyfel, gwerthwyd y safle i Butlin ac fe'i hagorwyd yn wersyll gwyliau ym mis Mawrth 1947. Mae'n dal i fod felly hyd heddiw.

Figure 183 (left). Holiday makers crowd onto the golden sands at Rhyl, 1961. Situated on the coast at the mouth of the river Clwyd, Rhyl developed rapidly as a seaside resort during the nineteenth century. Its fine sands and accessibility from towns and cities, such as Liverpool, made it a popular Victorian tourist destination. The Chester and Holyhead railway, which opened in 1848 had a station at Rhyl, widening its appeal and bringing visitors from London.

Figure 184 (above). The seaside holiday. After the successful deal with the government at the outbreak of the Second World War to complete the Filey holiday camp for military use, Billy Butlin was asked to find another site. He chose this location 6.5 kilometres (4 miles) east of Pwllheli with a railway line running through the centre. After only three weeks of construction, 8,000 servicemen arrived and had to sleep in tents until the buildings were finished. On completion it became known as HMS *Glendower* and was used as a training centre for the Admiralty (including the future Duke of Edinburgh) and Merchant Navy. At the end of the war the site was sold into Butlin's ownership and was opened as a holiday camp in March 1947. It remains in use today.

Ffigur 185. Man cychwyn oes Parc Pleser Ynys y Barri oedd ffair dymhorol ar dywod Bae Whitmore. Yn sgil codi'r promenâd ym 1923, symudwyd y parc pleser oddi ar y traeth a'i droi'n nodwedd barhaol ar Ynys y Barri. Ymhlith y reidiau enwog yr oedd y Rheilffordd Olygfeydd, sef lein serth ac iddi olygfeydd 'mynyddig'. Fe'i hagorwyd ym 1940 a bu'n boblogaidd tan ei dymchwel ym 1973 wedi i wyntoedd mawr ei difrodi. Tynnwyd lluniau o'r safle ym mis Mai 2011 i wneud cofnod manwl ohono o'r awyr cyn iddo gael ei newid neu ei ailddatblygu.

Figure 185. Barry Island Pleasure Park started life as a seasonal fair on the sands of Whitmore Bay. With the building of the promenade in 1923, the pleasure park was moved inland, and made a permanent feature of Barry Island. Famous rides included the scenic railway, a wooden roller coaster with 'mountainous' scenery, which opened in 1940 and remained popular until its demolition in 1973 owing to gale damage. The site was photographed here in May 2011 to make a detailed aerial record prior to any change or redevelopment.

Ffigur 186. Mae cysylltiad cryf rhwng hanes y Gymru fodern a gwylio a chwarae campau – a rygbi'n arbennig. Codwyd eistedleoedd Parc yr Arfau, Caerdydd, gyntaf ym 1881-2, ond cawsai'r maes ei defnyddio i chwarae criced arno am rai degawdau cyn hynny. Mae'r llun gwych hwn gan Aerofilms, a dynnwyd ym 1947, yn dangos yr hen faes criced i'r gogledd a'r stadiwm rygbi i'r de. Ym Mharc yr Arfau y cynhaliwyd Gemau'r Gymanwlad ym 1958, ond erbyn 1968 cawsai ei ddymchwel er mwyn codi maes rygbi presennol Caerdydd i'r gogledd ohono a'r Maes Cenedlaethol i'r de. Hwnnw fu Maes Rygbi Cenedlaethol Cymru ond codwyd Stadiwm y Mileniwm yn ei le ym 1999. Ar y dde, gwelir Empire House, cartref cyfnewidfa ffôn, yn cael ei godi ar safle'r hen Temperance Town a ddymchwelwyd gan Gorfforaeth Caerdydd ym 1937. Heddiw, mae Stadiwm y Mileniwm i'w weld yn glir ar draws y ddinas. Gan edrych i lawr drwy ei do agored ym mis Mehefin 2011 gwelir y paratoadau – sydd o'r golwg fel arfer – ar gyfer taith 'Progress' hynod lwyddiannus y grŵp pop *Take That*. Mae maint yr adeiladwaith yn peri i'r lorïau edrych fel teganau.

Figure 186. The story of modern Wales is intertwined with the watching and playing of sport, particularly rugby. Cardiff Arms Park dates back to 1881-2 when stands were first erected, but it had been used for cricket for several decades beforehand. This fine Aerofilms photograph, taken in 1947, shows the old cricket ground to the north and the rugby stadium to the south. The Arms Park hosted the Commonwealth Games in 1958, but by 1968 it had been demolished to make way for the present day Cardiff rugby ground to the north and the National Stadium to the south. This served as the Welsh National Rugby Stadium, but was superseded by the Millennium Stadium in 1999. On the right it is possible to see Empire House, a telephone exchange, under construction on the site of Temperance Town, demolished by the Cardiff Corporation in 1937. The present Millennium stadium dominates the capital's skyline. Looking down through its open roof in June 2011 normally hidden preparations for the pop group *Take That's* hugely successful 'Progress' tour can be seen, with tour lorries dwarfed by the modern structure.

Ffigur 187. Ers blynyddoedd maith mae'r maes rygbi yn Ysgol Gyfun Cymer Rhondda, a welir yma wrth i sgrym ddigwydd ar brynhawn digon oer ganol Hydref 2008, yn ganolbwynt i draddodiad yr ysgol o chwarae rygbi'r undeb, ac mae amryw o gyn-ddisgyblion wedi mynd ymlaen i chwarae yng nghynghreiriau Cymru. Datblygwyd y maes chwarae campus hwn ar dir a wastatawyd yng nghysgod olion hen byllau glo a chwarrau cerrig.

Figure 187. The rugby pitch at Ysgol Gyfun Cymer Rhondda, seen here with a scrum in progress on a chilly mid-October afternoon in 2008, has been the mainstay of the school's tradition of rugby union for many years, with a number of former pupils going on to play in the Welsh leagues. The fine, levelled playing surface has been developed in the shadow of a derelict industrial past of collieries and stone quarries.

Ffigur 188. Cafodd Stadiwm Parc Ninian yng Nghaerdydd, a welir wrth i olau prynhawn o hydref bylu, ei enwi ar ôl yr Arglwydd Ninian Crichton-Stuart am iddo roi'r warant ariannol am y safle o 2 hectar (5 erw). Bu'r stadiwm yn gartref i Glwb Pêl-droed Dinas Caerdydd tan 2009. Agorwyd Stadiwm Parc Ninian yn swyddogol ar 1 Medi 1910 drwy gynnal gêm rhwng Dinas Caerdydd ac Aston Villa. Yr oedd seddau ynddo i 22,000 o wylwyr a chynhaliwyd amrywiaeth o ddigwyddiadau chwaraeon iddo o dro i dro, gan gynnwys rygbi, neidio ceffylau a gornestau bocsio. Tynnwyd y llun ym mis Tachwedd 2008 cyn i'r stadiwm gael ei ddymchwel ym mis Hydref 2009.

Figure 188. Pictured in the fading light of an autumn afternoon, Ninian Park Stadium in Cardiff was named after Lord Ninian Crichton-Stuart, who put up the guarantee for the 2 hectare (5 acre) site. It was home to the Cardiff City Football Club up until 2009. Ninian Park Stadium was officially opened on 1 September 1910 with a match between Cardiff City and Aston Villa. The stadium had seating for 22,000 spectators and, over its history, has hosted a variety of other sporting events, including rugby, showjumping and boxing. The photograph, taken in November 2008, shows the stadium before its demolition in October 2009.

Mae'r miloedd o awyrluniau hanesyddol yng Nghofnod Henebion Cenedlaethol Cymru wedi'u cadw am gyfnod llawer hwy nag y gallai'r rhai a'u tynnodd byth fod wedi dychmygu. Bellach, maent ar gael yn barhaol i'r cyhoedd ymgynghori â hwy ac yn ymuno ag amrywiaeth mawr o ddogfennau eraill am yr amgylchedd hanesyddol sydd ar gael yn hwylus i bawb.

Cyfran fach iawn iawn o'r holl adnoddau o ran lluniau ac archifau y gellir ymgynghori â hwy yn y Cofnod Henebion Cenedlaethol yw'r awyrluniau a welwch chi yn y llyfr hwn. Mae llawer o'r lluniau ar gael i'w gweld ar-lein bellach, a chaiff pob ffotograff digidol gan y Comisiwn ei roi ar-lein cyn gynted ag y bydd wedi'i gatalogio. Gellir chwilio mynegai a chatalog ar-lein y Comisiwn i Gofnod Henebion Cenedlaethol Cymru, sef www.coflein.gov.uk, am luniau ar sail enw'r safle, y math o safle, ei leoliad, ei gyfnod neu ryw feini prawf eraill. Adeg cyhoeddi'r gyfrol hon, mae rhyw 90,000 o safleoedd ledled Cymru yn y gronfa ddata a bydd y nifer yn cynyddu'n ddyddiol. Ategir hynny â rhaglen weithgar o ddigido i sicrhau bod mwy a mwy o fersiynau digidol o ddetholiad o gofnodion papur ar gael yn uniongyrchol drwy Coflein.

Bydd y Comisiwn yn croesawu ymholiadau gan unigolion preifat a sefydliadau masnachol sy'n awyddus i ymchwilio i'r llu agweddau ar dreftadaeth Cymru. Bydd y rhai sy'n holi yn defnyddio'r archif i gael gwybod rhagor am y lleoedd y maent yn byw ynddynt, i ymchwilio i bynciau yn hanes Cymru neu i lunio asesiadau at ddibenion cynllunio a chadwraeth. Bydd llawer o bobl yn pori drwy'r casgliadau o awyrluniau ar-lein. Gellir cysylltu'n uniongyrchol â gwasanaeth ymholiadau'r Comisiwn drwy e-bost, dros y ffôn neu'r ffacs neu drwy ddod i'n Llyfrgell ac Ystafell Chwilio yn Aberystwyth (gweler isod) lle gall y staff gynnig gwybodaeth a chwilio'r casgliadau i ateb anghenion y defnyddwyr bob dydd. All y llyfr hwn ddim rhoi mwy na chipolwg ar y cyfoeth enfawr o ddeunydd sydd ar gael yno.

I gael copïau o'r lluniau sydd yn y llyfr hwn, cysylltwch â ni'n uniongyrchol neu llenwch y 'Ffurflen Archebu' ar-lein gan nodi'r NPRN (Rhif Cofnodi Sylfaenol Cenedlaethol unigryw'r safle), a chyfeirnod y llun o fynegai'r llyfr hwn. Am y gall fod cyfyngiadau hawlfraint ar rai o'r lluniau, bydd angen i chi nodi hefyd pa ddefnydd y bwriadwch ei wneud ohonynt. Ar ôl i chi anfon y ffurflen atom, gallwn ni roi gwybod i chi am unrhyw ffi hawlfraint neu ffi drwyddedu a all fod yn daladwy ac, os bydd angen, gallwn roi trwydded i chi a nodi geiriau'r gydnabyddiaeth y bydd gofyn i chi ei chynnwys.

The thousands of historic aerial photographs in the National Monuments Record of Wales have been preserved far longer than their photographers could have ever imagined. They are now secured permanently for public consultation, joining a wide range of other documentation of the historic environment to be made readily available to all.

The photographs in this book are a minute fraction of the total image and archive resource that can be consulted at the National Monuments Record. Many images are now available to view online, and all digital photography by the Commission is put online as soon as it has been catalogued. The Commission's online index and catalogue to the National Monuments Record of Wales, www.coflein.gov.uk, can be searched for images according to site name, type, location, period or other criteria. Some 90,000 sites across Wales are, at the time of publication, in the database and the number is increasing every day. This is complemented by an active digitisation programme, ensuring that more and more digital versions of selected hard-copy records are made directly available via Coflein.

The Commission welcomes enquiries from private individuals and commercial organisations wanting to explore the many and varied aspects of the heritage of Wales. Enquirers use the archive to find out more about the places where they live, research subjects on Welsh history or make assessments for purposes of planning and conservation. Many browse the stunning collections of aerial photographs online. The Commission's enquiry service can be contacted directly by telephone, fax, e-mail or in person at our Library and Search Room in Aberystwyth (see below), where staff provide information and search the collections to answer users' needs every day. This book can give no more than a glimpse into the vast wealth of material available.

To obtain copies of the photographs in this book, contact us directly or complete our online 'Order Form' noting the NPRN (the unique National Primary Record Number of the site), and image reference number from the index of this book. You will also need to indicate the intended use of the material, as some photographs may be subject to copyright restrictions. Once we receive the completed enquiry form we will be able to inform you of any copyright or licensing fee that may be payable and if necessary issue you with a licence and the acknowledgement wording we require.

Ffigur 189 (gyferbyn). Dechreuwyd codi Neuadd y Sir yn Ninbych, a welir o'r gogledd-orllewin, ym 1572 ym mhen dwyreiniol safle'r farchnad yn rhan isaf y dref ganoloesol, y tu hwnt i waliau'r castell canoloesol. Yno bellach y mae llyfrgell y dref. Yn wreiddiol, yr oedd neuadd farchnad ar lawr isaf yr adeilad. Âi pobl iddi o'r stryd drwy arcedau mawr agored o dan lysoedd yr ynadon. Ar y dde mae amlinelliad safle mawr a chynnar marchnad a lanwai gryn dipyn o'r dref y tu allan i'r muriau yn yr Oesoedd Canol, ond yn ystod yr unfed ganrif ar bymtheg codwyd adeiladau newydd yno, sef y bloc trionglog o dai a siopau. Yn ddiweddar, ac ar ôl i'r Comisiwn Brenhinol wneud arolwg newydd a manwl a chofnodi'r adeiladau, bu Menter Treftadaeth y Drefwedd yn fodd i fuddsoddi yng nghanol hanesyddol y dref a'i adfywio.

Figure 189 (opposite). The County Hall or Shire Hall of Denbigh in north Wales, seen from the north-west, was begun in 1572 and erected at the eastern end of the market place in the medieval lower town, beyond the walls of the medieval castle. Now the town library, the building originally had a ground-floor market hall, which was accessible from the street via large open arcades with a magistrate's court above. To the right is the outline of the large early market place that dominated the medieval 'town without the walls', but which was encroached upon during the sixteenth century by new development, visible as a discrete triangular block of houses and shops. The historic town centre has recently seen investment and regeneration with a Townscape Heritage Initiative, supported by new detailed survey and building recording by the Royal Commission.

- Comisiwn Brenhinol Henebion Cymru
Yn cynnwys Cofnod Henebion Cenedlaethol Cymru

Adeilad y Goron
Plas Crug
Aberystwyth
Ceredigion, SY23 1NJ

E-bost: chc.cymru@cbhc.gov.uk
Ffôn: 01970 621200

Oriau agor: Llun-Gwener 09.30-16.00
Mercher 10.30-16.30

- Cofrestr Ganolog Cymru o Awyrluniau

Llywodraeth Cymru
Ystafell 073A
Swyddfeydd y Goron
Parc Cathays
Caerdydd, CF10 3NQ

E-bost: air_photo_officer@cymru.gsi.gov.uk
Ffôn: 02920 823819

- Prosiect 'Britain from Above'

Cysylltwch ag: English Heritage, National Monuments Record
E-bost: nmrinfo@english-heritage.org.uk
Ffôn: 01793 414600

Adnoddau ar-lein

- Coflein: Darganfod Ein Gorffennol Ar-lein
www.coflein.gov.uk

- Y Grŵp Ymchwil i Archaeoleg o'r Awyr
aarg.univie.ac.at

- Royal Commission on the Ancient and Historical Monuments of Wales
Incorporating the National Monuments Record of Wales

Crown Building
Plas Crug
Aberystwyth
Ceredigion, SY23 1NJ

E-mail: nmr.wales@rcahmw.gov.uk
Telephone: 01970 621200

Opening hours: Monday-Friday 09.30-16.00
Wednesday 10.30-16.30

- Central Register of Air Photography for Wales

Welsh Government
Room 073A
Crown Offices
Cathays Park
Cardiff, CF10 3NQ

E-mail: air_photo_officer@wales.gsi.gov.uk
Telephone: 02920 823819

- Britain from Above Project

Contact: English Heritage, National Monuments Record
Email: nmrinfo@english-heritage.org.uk
Telephone: 01793 414600

Online resources

- Coflein: Discovering Our Past Online
www.coflein.gov.uk

- Aerial Archaeology Research Group
aarg.univie.ac.at

Diolchiadau

O raid, sefyll ar ysgwyddau arloeswyr cynharach wnaiff gwaith fel hwn sy'n mawrygu ehangder a chynnwys hanesyddol ein harchif. Chris Musson, ymchwilydd cyntaf Awyrluniau yn y Comisiwn Brenhinol, a dynnodd y lluniau yn Ffigurau 1, 44, ac 146 (brig a gwaelod). Toby Driver a dynnodd weddill yr awyrluniau lliw yn y llyfr heblaw am Ffigurau 14, 174 ac 191 a dynnwyd gan Oliver Davis. Rhaid i ni gofio am sgiliau ac ymdrechion llu peilotiaid a ffotograffwyr Aerofilms – a chriwiau hedfan cwmnïau awyrluniau eraill y cynhwyswyd eu casgliadau ar hyd y daith – wrth iddynt gofnodi golygfeydd hanesyddol mewn lluniau sydd mor glir a difyr. Rhaid i ni hefyd gofio peilotiaid a chriwiau'r Llu Awyr Brenhinol, ynghyd â rhai Awyrlu'r Unol Daleithiau, a dynnodd weddill yr awyrluniau hanesyddol a gadael i ni, wrth wneud eu gwaith swyddogol, gofnod hanesyddol eithriadol o Gymru'r ugeinfed ganrif. Hoffai'r awduron ddiolch i Dr Peter Wakelin, Dr Eurwyn Wiliam, yr Athro Christopher Williams a Dr Mark Redknap am eu sylwadau manwl ar y testun ac, yn arbennig, gyfraniad Lisa Osborne am ei hymchwil wrth gyfrannu i lawer o'r penawdau. Hoffem ddiolch hefyd i'r cyfranwyr Susan Fielding a Medwyn Parry am eu cymorth wrth gwblhau gwahanol rannau o'r llyfr; rhaid diolch i Derek Elliot o Wasanaethau Gwybodaeth a Dadansoddi Llywodraeth Cymru am gyfrannu lluniau, sganiau a chyngor amhrisiadwy o Gofrestr Ganolog Cymru o Awyrluniau. Cynigiodd Daryl Leeworthy a Scott Lloyd, hefyd, sylwadau ar y drafftiau cynharaf. Hoffai'r awduron ddiolch i'r llu peilotiaid sydd wedi mynd ag awyrlunwyr y Comisiwn Brenhinol ar deithiau hedfan dros y blynyddoedd. Oni bai am eu harbenigedd hwy, byddai hi wedi bod yn amhosibl tynnu'r lluniau sydd yn y llyfr hwn. Diolch yn arbennig i'r Capten Gwyndaf Williams ac i deulu'r diweddar Bob Jones. Yn drist iawn, cafodd Bob, a oedd yn beilot profiadol dros ben ac yn gyfaill mawr i archaeoleg, ei ladd tra oedd y llyfr hwn yn cael ei gwblhau; caiff ei gofio gan bawb a fu'n hedfan gydag ef. Cwblhaodd Oliver Davis y mapio ar Ynys Sgomer yn Ffigur 54 a chynhyrchu'r lluniau o Wersyll Caerau, Trelái. Phil Ray a gynhyrchodd y prif fap o'r lleoliadau ac a gynghorodd ynghylch prosesu data LiDAR. Seiliwyd pennawd Ffigur 45 ar destun a luniwyd gan Louise Barker; seiliwyd pennawd Ffigur 112 ar destun a luniwyd gan Brian Malaws, ill dau o'r Comisiwn Brenhinol. Tynnwyd Ffigur 16 gan Debbie Richards ar gyfer CBHC yn ystod Prosiect Abermagwr. Fleur James a wnaeth yr holl waith sganio a'r paratoi terfynol ar y lluniau. John Johnston a gwblhaodd batrymu'r llyfr. Yn olaf, hoffai Toby Driver ddiolch i Becky, Aric a Charlie am eu cefnogaeth adeg llunio'r llyfr. Hoffai Oliver Davis ddiolch i Merryn am ei chefnogaeth a'i hanogaeth bob amser.

Acknowledgements

A work such as this, which celebrates the breadth and historic content of an archive, necessarily stands upon the shoulders of earlier pioneers. Chris Musson, first Investigator of Aerial Photography at the Royal Commission, took Figures 1, 44 and 146 (top & bottom). Toby Driver took the remaining colour aerial photographs in this book except Figures 14, 174 and 191, which were taken by Oliver Davis. We must remember the skills and efforts of the many Aerofilms pilots and photographers – and aircrews of other aerial photography companies whose collections were absorbed along the way – in recording such clear, perceptive historic views. We must also remember the Royal Air Force pilots and crews, together with those of the United States Air Force, who took the remaining historic images and, through the course of their official work, left us with an exceptional historic aerial record of Wales during the twentieth century. The authors would like to thank Dr Peter Wakelin, Dr Eurwyn Wiliam, Professor Christopher Williams and Dr Mark Redknap for their detailed comments on the text, and the particular contribution of Lisa Osborne who researched and contributed many of the captions. Our thanks also go to the contributors Susan Fielding and Medwyn Parry for their help with completing different sections of the book; Derek Elliot of Knowledge and Analytical Services, Welsh Government, must be thanked for his invaluable provision of images, scans and advice from the Central Register of Aerial Photography for Wales. Daryl Leeworthy and Scott Lloyd also offered comments on earlier drafts. The authors would like to thank the many pilots who have taken aerial photographers into the skies over the years, without whose expertise the capture of the images in this book would be impossible. Particular thanks are extended to Captain Gwyndaf Williams and to the family of the late Bob Jones. Bob, who was a hugely experienced pilot and a great friend to archaeology, was killed tragically while this book was being completed; he will be remembered by all who flew with him. Oliver Davis completed the mapping of Skomer Island in Figure 54 and produced the views of Caerau Camp, Ely. Phil Ray produced the main location map and advised on the processing of the LiDAR data. The caption for Figure 45 was based on text written by Louise Barker; the caption for Figure 112 was based on text written by Brian Malaws, both of the Royal Commission. Figure 16 was taken by Debbie Richards for RCAHMW during the Abermagwr Project. Fleur James did all scanning and final preparation of the images. John Johnston completed the layout. Finally, Toby Driver would like to thank Becky, Aric and Charlie for their support during the preparation of the book. Oliver Davis would like to thank Merryn for her continued support and encouragement.

Rhestr o'r Ffigurau – List of Figures

Nodyn: Mae © y Goron: Comisiwn Brenhinol Henebion Cymru ar bob llun, oni nodir fel arall.

Note: All figures are © Crown: Royal Commission on the Ancient and Historical Monuments of Wales, unless otherwise stated.

Ffigur 190 (chwith). Y llygad oddi fry. Ar Stryd Fawr y Trallwng wedi'r Ail Ryfel Byd, mae pobl ar y stryd yn sefyll ac yn syllu ar yr awyren sy'n tynnu eu llun. Gan fod awyren ym 1947 yn dal i fod yn beth eithaf newydd, efallai iddi ddwyn y rhyfel diweddar i gof. Mae'n llun sy'n darlunio eiliad mewn amser a fyddai'n amhosibl o unrhyw ongl arall. Gallwch chi weld lein gul y Trallwng a Llanfair Caereinion yn ymlwybro drwy'r strydoedd yn y pellter canol: sylwch ar y trên ar y dde o flaen yr adeilad pren.

Figure 190 (left). The eye in the sky. In the High Street of post-war Welshpool people going about their daily business stop and gaze at the aeroplane taking their photograph. In 1947, the plane was still a novelty and perhaps brought back memories of the recent conflict. This aerial view captures a moment in time impossible from any other perspective. The Welshpool and Llanfair narrow-gauge railway can also be seen threading through the streets in the middle distance: notice the train on the right, in front of the timber-framed building.

Page 44, Figure 40.
Reference: AP2007_5236, NPRN 95310

Page 45, Figure 41.
Reference: AP2007_5228, NPRN 24295

Page 46, Figure 42.
Reference: AP2010_3979, NPRN 402989

Page 47, Figure 43.
Reference: AP2009_0595, NPRN 84068

Page 48, Figure 44.
Reference: AP2008_3622, NPRN 92667

Page 49, Figure 44.
Reference: DI2207_1989, NPRN 308918

Page 50, Figure 45.
Reference: AP2007_4932, NPRN 405578

Page 51, Figure 46.
Reference: AP2010_4480, NPRN 19355

Page 52, Figure 47.
Reference: AP2007_2800, NPRN 90333

Page 53, Figure 47.
Reference: AP2008_3422, NPRN 275869

Page 54, Figure 48.
Reference: AP2011_0362, NPRN 306750

Page 55, Figure 49.
Reference: AP2009_0131, NPRN 309709

Page 56, Figure 50.
Reference: AP2007_2448, NPRN 80542

Page 57, Figure 50.
Reference: AP2008_2006

Page 58, Figure 51.
Reference: AP2007_2424, NPRN 24568

Page 59, Figure 52.
Reference: AP2009_0816, NPRN 24387

Page 60, Figure 53.
Reference: AP2009_4059, NPRN 302976

Page 61, Figure 54.
Reference: LD2012_02_07, NPRN 24369
© Crown: All rights reserved. Environment Agency, 2011.
LiDAR data Environment Agency Geomatics Group. LiDAR
view generated by RCAHMW

Page 62, Figure 55.
Reference: AP2007_2435, NPRN 402827

Page 63, Figure 56 (left).
Reference: AP2011_0032, NPRN 413860

Page 63, Figure 56 (right).
Reference: DI2005_0428, NPRN 401014

Page 64, Figure 57.
Reference: AP2011_2132, NPRN 93389

Page 66, Figure 58.
Reference: AP2011_1400, NPRN 95769

Page 67, Figure 58.
Reference: AP2008_3286, NPRN 94497

Page 68, Figure 59.
Reference: DI2011_0921, NPRN 93387

Page 69, Figure 59.
Reference: AP2011_1765, NPRN 92709

Page 70, Figure 60.
Reference: AP2007_0228, NPRN 95292

Page 71, Figure 60.
Reference: AP2006_0500, NPRN 95292

Page 72, Figure 61.
Reference: AP2007_4311, NPRN 300444

Page 73, Figure 62.
Reference: AP2009_0832, NPRN 92058

Page 74, Figure 63.
Reference: AP2011_3214, NPRN 92914

Page 75, Figure 64.
Reference: AP2007_4016, NPRN 307064

Page 76, Figure 65.
Reference: AP2011_2381, NPRN 18504

Page 77, Figure 65.
Reference: AP2011_3318, NPRN 16687

Page 78, Figure 66.
Reference: AP2005_0383, NPRN 265202

Page 79, Figure 67.
Reference: AP2011_1584, NPRN 27130

Page 80, Figure 68.
Reference: AP2010_4335, NPRN 302081

Page 81, Figure 69.
Reference: AP2010_1543, NPRN 19909

Page 82, Figure 70.
Reference: AP2011_3336, NPRN 15574

Page 83, Figure 70.
Reference: AP2011_2174, NPRN 19900

Page 84, Figure 71.
Reference: AP2009_1873, NPRN 93431

Page 85, Figure 72.
Reference: AFA7981, NPRN 94508
© Crown: RCAHMW: Aerofilms collection

Page 86, Figure 73 (left).
Reference: AP2009_1747, NPRN 93719

Page 86, Figure 73 (above).
Reference: AP2011_1360, NPRN 93518

Page 87, Figure 74.
Reference: AP2010_2893, NPRN 92494

Page 88, Figure 75.
Reference: AP2009_0056, NPRN 306999

Page 89, Figure 76.
Reference: AP2011_4800, NPRN 306085

Page 90, Figure 77.
Reference: AP2009_0266, NPRN 22223

Page 91, Figure 78.
Reference: AP2011_2124, NPRN 31985

Page 92, Figure 79.
Reference: AP2011_2200, NPRN 91412
© Crown: RCAHMW: Aerofilms collection

Page 93, Figure 79.
Reference: DI2008_1198, NPRN 91412

Page 94, Figure 80
Reference: AP2007_1999, NPRN 414726

Page 95, Figure 81.
Reference: AP2010_4597, NPRN 301223

Page 96, Figure 81.
Reference: AP2007_4841, NPRN 402604

Page 98, Figure 82.
Reference: AP2009_1193, NPRN 303415

Page 99, Figure 83.
Reference: AP2009_0510, NPRN 94948

Page 100, Figure 84.
Reference: AP2008_3403, NPRN 93263

Page 101, Figure 85.
Reference: 106G/UK/1625-4355, NPRN 33205
© Crown: MOD (1946)

Page 102, Figure 86 (above).
Reference: AP2011_2343, NPRN 33125

Page 102, Figure 86 (right).
Reference: AP2011_3278, NPRN 33013

Page 103, Figure 87.
Reference: AP2009_0838, NPRN 32994

Page 104, Figure 88.
Reference: AP2011_2157, NPRN 414816

Page 105, Figure 88.
Reference: AF41238, NPRN 410436
© Crown: RCAHMW: Aerofilms collection

Page 106, Figure 89.
Reference: AP2008_1591, NPRN 33106

Page 107, Figure 90.
Reference: AP2007_5212, NPRN 40538

Page 108, Figure 91 (left).
Reference: AP2010_4670, NPRN 86954

Page 108, Figure 91 (above).
Reference: AP2011_1519, NPRN 33081

Page 109, Figure 92.
Reference: AF8836, NPRN 33145
© Crown: RCAHMW: Aerofilms collection

Page 110, Figure 93.
Reference: AP1007_3061, NPRN 306319

Page 111, Figure 93.
Reference: AP2008_1900, NPRN 86853

Page 112, Figure 94.
Reference: AP2011_2266, NPRN 414465

Page 113, Figure 94.
Reference: AP2010_1167, NPRN 310035

Page 114, Figure 95.
Reference: AP2010_2487, NPRN 403098

Page 115, Figure 96.
Reference: AP2008_2983, NPRN 86993

Page 116, Figure 97.
Reference: AP2006_3105, NPRN 404661

Page 117, Figure 98.
Reference: AP2008_3877, NPRN 268059

Page 118, Figure 99.
Reference: AP2008_2737, NPRN 20853

Page 119, Figure 100.
Reference: AP2009_3025, NPRN 409613

Page 120, Figure 101.
Reference: DI2011_0864, NPRN 268142
© Crown: MoD (1946)

Page 122, Figure 102.
Reference: AFL03_R10857, NPRN 33145
© Crown: RCAHMW: Aerofilms collection

Page 123, Figure 103.
Reference: AP2008_3452, NPRN 32845

Page 124, Figure 104.
Reference: AP2008_3365, NPRN 33126

Page 125, Figure 105.
Reference: Medmenham 2 TI3, NPRN 276037
© Crown: MoD (1941): Courtesy of Welsh Government

Page 126, Figure 106.
Reference: DI2008_1196, NPRN 34479
© Crown: RCAHMW: Aerofilms collection

Page 127, Figure 107.
Reference: Medmenham M2144-72. HLA/060 PRU51, F/14,
Frame 72, NPRN 33600
© Crown: MoD (1940): Courtesy of Welsh Government

Page 128, Figure 108.
Reference: Medmenham A-Z. 19046, NPRN 414966
© Crown: MoD (date unknown c.1940): Courtesy of Welsh Government

Page 129, Figure 109.
Reference: AFA10910, NPRN 91719
© Crown: RCAHMW: Aerofilms collection

Page 130, Figure 110.
Reference: Medmenham M220 12947, NPRN 310059
© Crown: MoD (1941): Courtesy of Welsh Government

Page 131, Figure 110.
Reference: AP2010_4714, NPRN 84422

Page 132, Figure 111.
Reference: AP2007_5163, NPRN 95476

Page 133, Figure 111.
Reference: AP2007_2633, NPRN 268123

Page 134, Figure 112.
Reference: AP2010_0365, NPRN 402310

Page 135, Figure 113.
Reference: AP2007_4358, NPRN 100072

Page 136, Figure 114.
Reference: DI2011_0865, NPRN 307839
© Crown: MoD (1946)

Page137, Figure 115.
Reference: Film 135, frame 18219 C and B, NPRN 34317
© Reserved: Meridian Airways (1955)

Page 138, Figure 116.
Reference: C4-30 PRS, UKUS 28, 2 March 44,
NPRN 33058
© Crown: MoD (1944): Courtesy of Welsh Government

Page 139, Figure 117.
Reference: AP2007_3646, NPRN 240201

Page 140, Figure 118.
Reference: AP2005_2718, NPRN 270761

Page 141, Figure 119.
Reference: AP2011_4034, NPRN 414967

Page 142, Figure 120.
Reference: AP2007_3850, NPRN 306

Page 144, Figure 121.
Reference: AP2009_4001, NPRN 409201

Page 145, Figure 122.
Reference: AP2012_0189, NPRN 300889

Page 146, Figure 123.
Reference: AP2005_1621, NPRN 403370

Page 147, Figure 124.
Reference: AP2011_1411, NPRN 527

Page 148, Figure 125.
Reference: AP2007_1601, NPRN 301651

Page 149, Figure 126.
Reference: AP2008_3060, NPRN 14137

Page 150, Figure 127.
Reference: AP2005_0768, NPRN 104687

Page 151, Figure 128.
Reference: AP2011_2867, NPRN 6751

Page 152, Figure 129.
Reference: RC8-AH-8, NPRN 405805
Original held at Cambridge University Collection of Aerial Photography

Page 153, Figure 130, NPRN 133
Reference: AP2010_3842

Page 154, Figure 131.
Referenc: AP2008_0217, NPRN 6443

Page 155, Figure 132.
Reference: AP2010_0462, NPRN 8565, 8569

Page 156, Figure 133.
Reference: AP2010_0249, NPRN 93072

Page 157, Figure 134.
Reference: AP2010_4169, NPRN 95764

Page 158, Figure 135.
Reference: AP2008_3469, NPRN 131

Page 159, Figure 136.
Reference: AP2008_3447, NPRN 414969

Page 160, Figure 137.
Reference: AP2011_3045, NPRN 93827

Page 161, Figure 137.
Reference: AP2011_3187, NPRN 306725

Page 162, Figure 138.
Reference: AP2010_2576, NPRN 40564

Page 164, Figure 139.
Reference: A225952, NPRN 410563
© Crown: RCAHMW: Aerofilms collection

Page 165, Figure 140.
Reference: AFA226276, NPRN 41229
© Crown: RCAHMW: Aerofilms collection

Page 165 inset, Figure 140.
Reference: DD2012_001, NPRN 41229

Page 166, Figure 141.
Reference: AP2007_4837, NPRN 33834

Page 167, Figure 142.
Reference: AP2007_2336, NPRN 40620

Page 168, Figure 143.
Reference: A11879, NPRN 91413
© Crown: RCAHMW: Aerofilms collection

Page 169, Figure 144.
Reference: DI2008_1197, NPRN 91412
© Crown: RCAHMW: Aerofilms collection

Page 170, Figure 145.
Reference: AFR67, NPRN 301580
© Crown: RCAHMW: Aerofilms collection

Page 171, Figure 146 (left).
Reference: DI2011_0893, NPRN 33505

Page 171, Figure 146 (below).
Reference: DI2011_0898, NPRN 33505

Page 172, Figure 147.
Reference: DI2011_0868, NPRN 433
© Crown: MoD (1947)

Page 173, Figure 148.
Reference: AP2010_4404, NPRB 402097

Page 174, Figure 149.
Reference: 543/RAF/922: mosaic of frames F21 0127, 0128, 0129 and 0130, NPRN 301092
© Crown: MoD (1960)

Page 175, Figure 149.
Reference: A177854, NPRN 301092
© Crown: RCAHMW: Aerofilms collection

Page 176, Figure 150.
Reference: A119365, NPRN 632
© Crown: RCAHMW: Aerofilms collection

Page 177, Figure 150.
Reference: A150809, NPRN 632
© Crown: RCAHMW: Aerofilms collection

Page 178, Figure 151.
Reference: AP2006_2755, NPRN 40776

Page 179, Figure 152.
Reference: AP2007_0506, NPRN 91392

Page 180, Figure 153 (left)
Reference: AP2010_0524, NPRN 40584

Page 180, Figure 153 (right).
Reference: AP2007_5201, NPRN 40538

Page 181, Figure 154.
Reference: AP2007_3085, NPRN 85487

Page 182, Figure 155.
Reference: AP2011_3168, NPRN 408297

Page 183, Figure 156.
Reference: AP2009_2943, NPRN 409317

Page 184, Figure 157.
Reference: AP2011_2986, NPRN 306041

Page 185, Figure 158.
Reference: AP2009_4165, NPRN 33941

Page 186, Figure 159.
Reference: AP2008_0113, NPRN 40465

Page 187, Figure 160.
Reference: AP2010_2017, NPRN 308208

Page 188, Figure 161.
Reference: AP2007_4027, NPRN 34600, 24237

Page 190, Figure 162.
Reference: AP2007_1669, NPRN 34864

Page 191, Figure 163.
Reference: AP2006_3179, NPRN 24126

Page 192, Figure 164.
Reference: AP2008_1068, NPRN 402393

Page 193, Figure 165.
Reference: AP2008_0503, NPRN 34169

Page 194, Figure 166.
Reference: AP2011_0246, NPRN 305775

Page 195, Figure 166.
Reference: AP2009_0702, NPRN 401771

Page 196, Figure 167.
Reference: AP2011_2391, NPRN 34786

Page 197, Figure 168.
Reference: AP2009_3220, NPRN 34410

Page 198, Figure 169.
Reference: AP2010_3310, NPRN 34350

Page 199, Figure 169.
Reference: AP2010_3334, NPRN 34350

Page 200, Figure 170.
Reference: AP2011_3022, NPRN 41287

Page 201, Figure 171.
Reference: AP2006_1530, NPRN 402783

Page 202 Figure 172.
Reference: AP2006_2272, NPRN 405

Page 203, Figure 173.
Reference: AP2006_3653, NPRN 405639

Page 204, Figure 174.
Reference: AP2011_4846, NPRN 404322

Page 205, Figure 175.
Reference: AP2011_2129, NPRN 410701

Page 206, Figure 176.
Reference: AP2007_1666, NPRN 301664

Page 208, Figure 177.
Reference: AP2010_1647, NPRN 409765

Page 209, Figure 178 (left).
Reference: DI2007_1124, NPRN 95650

Page 209, Figure 178 (below).
Reference: AP2011_3188, NPRN 95650

Page 210, Figure 179.
Reference: AP2011_3073, NPRN 32619

Page 211, Figure 180 (left).
Reference: AP2011_2905, NPRN 33018

Page 211, Figure 180 (above).
Reference: AP2011_2906, NPRN 34159

Page 212, Figure 181.
Reference: RAF 58/3066 frame 0036, NPRN 268128
© Crown: MoD (1959): Courtesy of Welsh Government

Page 213, Figure 182.
Reference: AFL03_R24247, NPRN 34272
© Crown: RCAHMW: Aerofilms collection

Page 214, Figure 183.
Reference: A93688, NPRN 33112
© Crown: RCAHMW: Aerofilms collection

Page 215, Figure 184.
Reference: DI2011_0223, NPRN 401382
© Crown: RCAHMW: Aerofilms collection

Page 216, Figure 185.
Reference: AP2010_1491, NPRN 32744

Page 217, Figure 186 (below).
Reference: AFA15127, NPRN 3064
© Crown: RCAHMW: Aerofilms collection

Page 217, Figure 186 (left).
Reference: AP2011_2216, NPRN 309686

Page 218, Figure 187.
Reference: AP2008_3054, NPRN 414977

Page 219, Figure 188.
Reference: AP2008_3432, NPRN 402932

Page 220, Figure 189.
Reference: AP2011_3807, NPRN 23423

Page 224, Figure 190.
Reference: AFL03_A10331, NPRN 410704
© Crown: RCAHMW: Aerofilms collection

Page 228, Figure 191.
Reference AF9521, NPRN 33112
© Crown: RCAHMW: Aerofilms collection

Page 230, Figure 192.
References: AP2011_4448, NPRN 404206

Ffigur 191 (chwith). Tyrfaoedd ar y strydoedd yn aros am Dywysog. Mae'r tyrfaoedd yn ymgasglu ar strydoedd y Rhyl ar 16 Tachwedd 1923 gan obeithio cael cipolwg ar Edward, Tywysog Cymru (y Brenin Edward VIII maes o law).

Figure 191 (left). Lining the streets, waiting for a Prince. Crowds gather on the streets of Rhyl on 16 November 1923 hoping to catch a glimpse of Edward, Prince of Wales (the future King Edward VIII).

Ffigur 192. Mae pymtheg cilometr o ddŵr agored rhwng tir mawr de-orllewin Sir Benfro ac ynys fach Gwales, cartref i un o'r casgliadau mwyaf o fulfrain gwyn (huganod) yn y byd. Mewn pantiau bas ar ben pileri byr o fwd sy'n wyn gan giwano ar hanner gorllewinol yr ynys (brig) y mae nythod yr adar hyn. Ar y llaw arall, twffiau o wair cwrs sy'n gorchuddio'r hanner dwyreiniol (isaf) sydd wedi'i gysgodi rhag eithafion y gwynt a heli ewyn y môr. Er mor fach ac anghysbell yw'r ynys, bu pobl yn byw arni gynt a gellir dal i weld sylfeini muriau cerrig a chytiau yn y tir moel sy'n rhedeg i lawr canol yr ynys.

Figure 192. Fifteen kilometres of open water separates the south-west Pembrokeshire mainland from the small island of Grassholm, which is home to one of the largest gannet colonies in the world. The gannet nests, which are shallow depressions on tops of squat pillars of mud stained white from guano, crowd onto the western half of the island (top). In contrast, the eastern half (bottom), sheltered from the worst influence of wind exposure and salt spray, is covered by coarse tussocky grass. Despite its size and remote location, people once inhabited this place, and the footings of stone walls and huts can be seen standing on the bare earth running down the centre of the island.